百科探索 07

探索歷史未解之謎

歷史中還有太多的「未解之謎」，
令人瞠目結舌，
同時也勾起了人們的好奇心，
讓人們不斷地去追尋其答案。

余志慧——編著

前　言

《說文解字》說：「史，記事者也。」如今我們所說的歷史具有更廣泛的含義，是指整個人類社會的進程。在這個漫長的過程中，由於一些主觀或客觀的因素，致使人們對一些人物、事情或物件無法給予詳細而真實的記録，以至於它們成為了讓人看不透的謎。

為什麼有的人會把秦始皇稱為「呂政」？集權力與智慧於一身的伊莉莎白一世為何會選擇終身不嫁？年僅五十歲的宋太祖為何會猝死，死後為什麼是他的弟弟趙光義即位？明朝時在北京發生了一場詭異的大爆炸，「所傷男婦俱赤體，寸絲不掛」，這又是怎麼一回事？圖坦卡蒙墓室外一塊不起眼的陶瓷碑上，鐫刻著這樣一句咒語：「誰擾亂了法老的安寧，死神將展翅降臨在他的頭上。」結果與之有關的人員真的相繼死去，這是咒語應驗，還是別的原因導致的……

歷史中還有太多太多的「未解之謎」，令人瞠目結舌，同時也勾起了人們的好奇心，讓人們不斷地去追尋其答案。如此美妙的東西是不能獨享的，於是我們把它們整理成書，希望能與有著同樣興趣的青少年朋友們一起分享。為了方便閱讀，本書分為「名人也有祕密」「這些事有點懸」「別被烽火迷惑」「藏在文化背後」四部分，分別從人物、事件、戰爭和文化這四個主要影響歷史進程的方面精選出最經典、最吸引人的「未解之謎」，供大家一起欣賞、探索。

希望這本《探索歷史未解之謎》不僅能開闊你的視野，更能激發你去深入探討和研究這些謎團。也許，下一個解開這些未解之謎的人就是你！

編　者

目錄

名人也有祕密

探索歷史
未解之謎

這些事有點懸

別被烽火迷惑

藏在文化背後

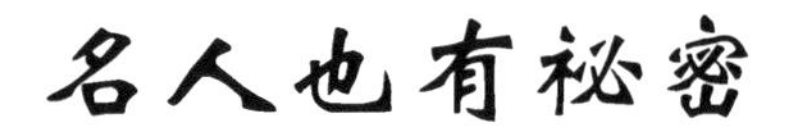

名人也有祕密

他們，要麼影響著歷史的進程，要麼是人們崇拜的偶像。

然而，他們也和普通人一樣，經意或不經意間，隱藏了祕密。

不同的是，他們的祕密引起了人們強烈的好奇心。

於是，人們不斷地去探索，去研究，祇希望能早日解開這些謎題。

黃帝是神還是人

黃帝像

相傳黃帝是一位非常傑出的部落首領，他定算數，製音律，建舟造車，發展生產……他收服了炎帝的部族，統一了華夏民族，才有了現在的「炎黃子孫」之說。然而，真有黃帝其人嗎？是一種被賦予了特殊意義的始祖形象？這一直是人們好奇和追尋的問題。

黃帝是人

有專家認為，黃帝是確實存在過的人物。

《國語・晉語》中記載：「昔少典娶於有蟜氏，生黃帝、炎帝。黃帝以姬水成，炎帝以姜水成。成而異德，故黃帝為姬，炎帝為姜。二帝用師以相濟也，異德之故也。」而《史記・五帝本紀》中也有記述：「黃帝者，少典之子，姓公孫，名曰軒轅。生而神靈，弱而能言，幼而徇齊，長而敦敏，成而聰明。軒轅之時，神農氏世衰。諸侯相侵伐，暴虐百姓，而神農氏弗能征。於是軒轅乃習用干戈，以征不享，諸侯咸來賓從。」由此可以看出，歷史上的確有黃帝此人，他不是神仙，衹不過天生異稟罷了。

黃帝是神

然而，先秦最具神話色彩的兩部著作《穆天子傳》和《山海經》，都將黃帝當做神來記載。《穆天子傳》載：「天子升於昆侖之丘，以觀黃帝之宮……」《山海經・大荒北經》中則提到黃帝和蚩尤作戰的情景：「蚩尤作兵，伐黃帝。黃帝乃令應龍攻之冀州之野。應龍蓄水，蚩尤請風伯、雨師，縱大風雨。黃帝乃下天女曰『魃』。雨止，遂殺蚩尤。」從中可以看出，黃帝能調來神仙幫其作戰，這分明是中央天帝才擁有的神威。那麼，黃帝究竟是人還是神，學術界尚未有定論。

涿鹿之戰

相傳，在黃帝時代，九黎族的首領蚩尤為擴張勢力，舉兵打敗了炎帝。後來，炎帝歸順黃帝，於是黃帝和炎帝兩族聯合起來，同九黎部族在涿鹿(今河北涿鹿縣南)進行了一場大規模的戰爭。最終，黃帝取得了勝利。涿鹿之戰是中國歷史上見於記載的最早的「戰爭」，也是炎黃文明的奠基之戰。

商紂王是暴君嗎

商紂王本名受德，帝號辛王，「紂」是周人給他的謚號，意為「賊仁多累」或者是「殘義損善」，總之，是一個惡名。那麼，商紂王究竟做了什麼事，令後人如此痛恨他呢？

文學典籍中的暴君

據《尚書》中的〈泰誓〉、〈武成〉等篇章記載，紂王為了和愛妃妲己盡情享樂，建造了酒池和肉林。酒池達「二、三十里」，裡面可以行船，豪飲時不下三千人；肉林裡則堆滿了像樹林一樣密的肉。紂王和妲己則成日在酒池肉林裡作樂，不理朝政。此外，紂王還大興土木，建造了鹿臺和摘星樓。

紂王的暴虐統治使百姓怨聲載道，諸侯也漸生離心。後來，紂王還採納妲己的建議，設炮烙之刑來殘害對他有意見的人。紂王的叔叔比干直諫，說這樣奢侈淫亂不好，寵愛婦人誤國。誰知，紂王不但不引以為戒，反而聽信妲己讒言，下令挖了比干的心。

然而，商紂王的本來面目真如史籍描述的那樣嗎？

「暴君」的另一面

據《荀子》和《史記》記載，商紂王是一位天資聰穎、領悟力奇高、身材高大、膂力過人的帝王。

紂王即位後，重視農桑，使社會生產力迅速發展起來，國家也因此逐漸強盛。然而，在這樣一個四海升平的時期，國家仍有動亂——江淮間的夷人不時侵犯商朝邊境。於是，紂王御駕親征，率領東征大軍直奔商邑(今河南商丘)。東夷一方聽聞商朝大軍逼近，聞風喪膽，倉皇遠遁。於是，紂王沒費多大力氣就攻克了東夷，把疆土拓展到中國東南一帶。毛澤東在評價紂王時說：「其實帝辛(紂王)是個很有本事、能文能武的人。他統一東南，把東夷和平原的統一鞏固起來，在歷史上是有功的。」

也許是這次御駕親征暗暗滋長了紂王驕橫的情緒，使他在執政後期變得剛愎自用、居功自傲。但是，即使這樣，他仍是一位有過極大貢獻的帝王。可是，為什麼如今的人們一提到紂王，首先想到的就是他的殘暴，而對他所做的貢獻卻知之甚少呢？

近代歷史學家考察後推測說，紂王的罪行罪狀是「千年積毀」的結果，也就是說，紂王的許多罪行都是後人編造的。如果真是如此，那麼究竟是誰在抹黑紂王呢？

政敵別有用心地宣傳

比如奢侈腐化、暴虐荒淫、鎮壓反叛、鏟除異己，這是多數帝王的共性，並非商紂王獨有。那麼，為什麼這些劣跡表現在商紂王身上就那樣駭人聽聞、令人髮指呢？也許，這是他的政敵——周人對他醜化宣傳的結果。

據《竹書紀年》記載，早在帝武丁(紂王曾祖)四年(西元前一二四七年)，周王季曆就開始率領軍隊攻伐商朝，以圖擴張。然而，季歷始終沒有成功，反而被帝武丁給殺掉了。後來，周侯昌(即後來的周文王)繼承了季歷的王位，更是不遺餘力地伐商，最後不僅沒有成功，反而被商王囚禁了起來。兩代周王的命運，使商周成為了死敵。繼位的周武王在釐清內政的同時，更是枕戈待旦，準備大舉伐商，報仇雪恨。然而，此時紂王的威名猶存，武王對其仍十分懼怕。《左傳》、《竹書紀年》和《史記》裡都記載說，直到牧野大戰前夕，周武王仍戰戰兢兢，不敢應戰，是呂尚強迫其出戰，才不得已而勉力一戰。於是，對商朝的仇恨和對紂王的畏懼，使得周人盡可能地詆毀、抹黑自己強大的對手，以建立戰略聯盟，同時激勵將士同仇敵愾，減輕自己畏懼和恐慌的情緒。

叛徒、內奸的惡意宣揚

在商紂王時期，商朝內部存在著兩股反對王權的力量：一股是神棍們。他們力圖再現伊尹、巫咸等神權超越王權的輝煌時代，但由於紂王的強勢，神棍們撼之不動，便勾結外敵以達到自己的目的；另一股反對王權的力量來自王黨內部的叛逆者。這類人要麼是希望自己能坐上王位，要麼是希望獲得更多的貴族權利。總之，他們是為了自己的利益而不惜賣國求榮的一類人。這兩類人無法以正常的手段勝過紂王，便開始惡意宣揚他的「罪行」，以達到分化人心的目的。就這樣，紂王便多出了「弗敬上天」「郊社不修、宗廟不享」「昏棄厥遺王父母弟，不迪」「醢九侯」等罪狀。

生活在三千多年前的商紂王究竟是不是一代暴君，我們只能從不同的歷史古籍中去考證。希望有一天，我們能揭開蒙蔽歷史真相的面紗，還原一個真實的紂王。

二郎神之謎

提起二郎神，人們便會想到那個長著三隻眼、手使三尖兩刃刀、帶著神犬、騰雲駕霧的神將形象。但如果有人追問二郎神的「身世」，卻又是一個迷霧重重的難題。

灌口李二郎

秦朝時，蜀地郡守李冰帶領民眾建成都江堰，將成都平原變為天府之國，造福萬民，受到民眾的崇拜。在這個浩大的工程中，李冰的次子「二郎」立下了協助父親鑿離堆、開二江的大功，因而被民眾當做神靈奉祀。

《宋會要》記載，宋仁宗於嘉祐八年(一〇六三年)封永康軍廣濟王廟郎君神為惠靈侯，並表明「神即李冰次子」。《通俗編》也引《朱子語類》進一步點明：「蜀中灌口二郎廟，當時是李冰因開離堆有功立廟。今來許多靈怪，乃是他第二兒子。」這位李二郎還被元朝封為「英烈昭惠顯聖仁佑王」，被清朝封為「承績廣惠顯英王」。

楊戩二郎神

小說《封神演義》中卻指明二郎神名叫楊戩，是玉鼎真人的徒弟。憑藉小說的力量，楊二郎成為明清以來為人熟知的「二郎神」。楊戩本是北宋徽宗寵信的一個官員。他被編進了明話本小說《醒世恆言》第十三卷「勘皮靴單證二郎神」中，故事的大意是：徽宗後宮有一韓夫人患病，奉旨借居楊戩府中休養。某日，韓夫人由楊戩內眷陪同去二郎神廟裡上香，廟官孫神通假扮二郎神，趁夜潛入楊府，詭稱與韓夫人有仙緣，誘其苟合，後被楊戩識破，設計捉拿治罪。楊戩捉拿假二郎神的逸聞在流傳的過程中走樣了，最終楊戩變成了二郎神。

都江堰二王廟

二郎神到底是誰，至今仍有爭論。相信終有一天，有人能做出令所有人都認同的解釋。

老子之謎

老子是中國春秋時期著名的哲學家、思想家，道家學派的創始人，其後更是被武則天封為「太上老君」。據《莊子》、《呂氏春秋》、《禮記》、《史記》等古籍記載，孔子曾多次問禮於老子。由此可見老子的威望很高。然而，老子的生平卻有些撲朔迷離，這又是怎麼一回事呢？

「李」姓和「老」姓之爭

司馬遷在《史記・老子韓非列傳》中說，老子「姓李，名耳，字聃」，因此才有老子姓「李」這一通說。如果老子姓「李」，那麼「老子」這一稱呼又是從何而來呢？

有人認為，「老」是古時人們對德高望重的長者的一種尊稱。漢代的鄭玄在《禮記・曾子問》的注中就說：「老聃，古壽考者之號也。」但是，據學者考證，在春秋時期並沒有李姓，所以老子姓李這種說法可能只是一種猜測。

另一種說法則認為，老子的確姓「老」，因為古時確實有老姓。只不過後人不分姓氏，以訛傳訛，才認為老子姓李。

還有一種說法認為，「李耳」二字可能是由「老聃」二字轉化而來的。因為「耳」與「聃」的字義相近，「老」和「李」的古音又相同，因此後人很容易將二者混淆，如在《莊子》一書中，時常就有一段話前稱老聃，後稱老子的現象。

歸宿之謎

關於老子的歸宿問題，也是眾說紛紜。

《史記》中的說法是，老子在函谷關留下「道德之意五千餘言」之後，就騎著青牛出關西去了，不知所終。老子出關的故事一直被人們津津樂道。魯迅先生對此也產生過興趣，還專門創作了故事新編《老子出關》。還有一種說法則認為，老子不是西去，而是東歸。《莊子・天道篇》記載老子離職後便離開周室而「歸居」了，至於歸於何處，並未提及。關於老子的疑案還有不少，如老子的壽命究竟多長、故鄉何處等。我們相信，一定會有人努力不懈地去探索，將有關老子的謎團解開。

《道德經》的國際影響

歐洲人從十九世紀初就開始了對《道德經》的研究，到二十世紀的四、五十年代，歐洲共有六十多種《道德經》譯文。德國哲學家黑格爾、尼采，俄羅斯作家托爾斯泰等世界著名學者對《道德經》都有深入的研究，並都有專著或專論問世。

秦始皇的生父是呂不韋嗎

秦始皇是中國歷史上第一個使用「皇帝」稱號的君主，被明代思想家李贄譽為「千古一帝」。然而，傲視天下的秦始皇的身世卻是一個千古之謎。這究竟是怎麼一回事呢？讓我們先從秦莊襄王——子楚開始說起。

秦莊襄王的人質生活

在春秋戰國時期，諸侯之間經常交換「質子」，即把王子或世子等貴族質押給盟國，作為一種守約的保證。子楚在即位之前就曾作為「質子」，在趙國生活過一段時間。後因秦國屢次攻打趙國，使他的處境變得很艱難。當時，在趙國有個很精明的商人——呂不韋。呂不韋看到了子楚身上所蘊藏的巨大的「經濟潛力」和「政治潛力」，於是設法結識了他，並與他成為密友。在呂不韋的幫助下，子楚的處境慢慢好轉起來。

「呂政」的由來

一日，呂不韋邀請子楚到家裡赴宴。為了助興，呂不韋叫出自己寵愛的姬妾——趙姬來表演歌舞。趙姬美豔動人，一下子就把子楚給吸引住了。呂不韋便趁機將趙姬獻給了子楚。

後來，趙姬足月生下一個兒子，取名為政。子楚十分高興，便立她為夫人。她的兒子政，正是後來的秦始皇。然而，據《史記・呂不韋列傳》和《漢書》記載，趙姬被獻給子楚之前已經懷有身孕，因此，《漢書》裡徑自稱嬴政為「呂政」。

反對觀點

早在明代，就有人質疑呂不韋是秦始皇生父這一說法，並認為這是「戰國好事者為之」。後來，越來越多的人都對這一說法產生了質疑，原因有以下幾點：

一、把希望寄託在尚在趙姬腹中的胎兒身上，希望胎兒長大成人後有機會繼承秦國王位，再圖大業，這樣做的風險太大，絕不是一個精於算計的商人會做出的事情。

二、據《史記》記載，「姬自匿有身，至大期時，生子政」。期是一年的意思，假若趙姬在進宮前已經懷孕，嬴政一定會不及期而生，子楚對此不會不知道。可見，嬴政的生父應該是子楚，而不是呂不韋。

為什麼會有秦始皇的生父是呂不韋這一說法呢？有人推測，這可能是呂不韋為了長享富貴，故意編造出來的故事；也可能是呂不韋的門客為洩私憤，故意編造此說來詆毀秦始皇。

秦始皇的生父究竟是秦莊襄王還是呂不韋，直到現在依然是人們爭論不休的話題。

周瑜是被氣死的嗎

在羅貫中編寫的《三國演義》中，周瑜是一個氣量非常狹小的人，他嫉妒諸葛亮的才華，結果反被諸葛亮氣得吐血身亡。臨死前，周瑜嘆了口氣說：「既生瑜，何生亮！」連叫數聲後溘然長逝。然而，真相果真如此嗎？我們首先來看一看史書記載中的周瑜吧。

周瑜像

意氣風發少年郎

周瑜生於漢熹平四年(一七五年)，廬江舒縣(今安徽省廬江縣西南)人。他長得高大健壯，容貌俊秀。據《三國志・吳書・周瑜傳》中記載：「瑜長壯有姿貌。」《吳地記》也提到周瑜「美姿貌」。

周瑜自幼飽讀詩書，精通兵法。十多歲時，他聽說與他同年的「小霸王」孫策是少年英才，便跋涉數百里，前往拜訪，並與孫策結為兄弟。後來孫策被刺，在臨終前囑咐他的弟弟孫權：「外事不決問周瑜。」可見周瑜的才能出眾。此外，周瑜還精通音律。《三國志・吳書・周瑜傳》裡有一個很有意思的細節描述：「瑜少精意於音樂。雖三爵之後，其有闕誤，瑜必知之，知之必顧。故時人謠曰：『曲有誤，周郎顧。』」意思是說周瑜彈得一手好琴，就算是酒過三巡，也能精准地辨聽出樂曲的闕誤，回頭示意有錯誤。後來，周瑜娶得江東的絕世美女小喬為妻，至此英雄佳人的故事被傳為佳話。

如果周瑜是童話中的人物，那麼他的結局應該是「王子公主從此過著幸福快樂的生活」，然而他不是。也許是天妒英才，三十六歲那年，周瑜在去蜀途中病逝於巴陵巴丘。可是，《三國演義》中為什麼說周瑜是因為嫉妒諸葛亮的才能而被氣死的呢？真實的周瑜是一個氣量狹小的人嗎？

雄才大略的將領

首先，我們來比較一下周瑜和諸葛亮的政治與軍事才能。

周瑜的政治才能遠在諸葛亮之上，主要表現在以下四方面：

一、助孫策取江東，開創基業。

二、赤壁之戰後，周瑜不同意借荊州江南四郡之地給劉備，而主張趁勢殲滅劉備。

三、周瑜規劃了取益州的大業。東吳攻佔南郡首縣江陵之後，他向孫權建議領兵取益州，然後兵分兩路，一支從益州出發向長安，一支從江陵出發至襄陽，如此一來北方可圖。這與諸葛亮的《隆中對》不謀而合，但比《隆中對》切實可行。

四、赤壁之戰前，周瑜力排眾議，力主抗擊號稱有一百萬大軍的曹操。

由於受到《三國演義》的影響，長期以來人們將赤壁之戰的最大功績歸功於「舌戰群儒」「借東風」「草船借箭」的諸葛亮。實際上，以上三個故事都是虛構的，「舌戰群儒」和「借東風」並不存在，而「草船借箭」也並非諸葛亮所為。因為，在赤壁之戰前後，諸葛亮只是劉備的一個賓客，並沒有被授予職務，他除了出使東吳懇求孫權出兵救劉備外，並無其他建樹。赤壁大戰的獲勝完全是周瑜運籌帷幄、指揮若定之功，與劉備、諸葛亮全無干係。如此說來，「周瑜嫉妒諸葛亮的才華」這一論點根本就無法成立。接下來，我們來說說周瑜氣量大小的問題。

據正史《三國志》記載，周瑜「性度恢廓，大率得為人」，即說周瑜的胸襟寬宏，性格直爽、坦率。又據其他史書記載：當年東吳有一員老將，名喚程普，此人自孫堅時起，就為孫家出生入死，立下赫赫戰功，因此被尊為「程公」。程普居功自傲，不把後生晚輩放在眼裡，特別是被孫權委以重任的周瑜。面對周瑜，程普常常盛氣凌人，有時還會故意刁難。但是，周瑜總是儘量忍讓程普，不與他計較。時間長了，程普看清了周瑜的為人，終於改變了對他的態度。由此可見，周瑜並非如《三國演義》中所說的「氣量狹小」之人。既然如此，那就無法證明周瑜是被諸葛亮氣死的說法了。

綜合種種歷史資料，我們不難看出，周瑜是一個近乎完美的人。而羅貫中在《三國演義》中貶低周瑜，也許只是想借周瑜之名來襯托諸葛亮罷了。只是，在《三國演義》逐漸為人們所熟悉之後，人們便漸漸忘記了真實的周瑜。

後主劉禪真的昏庸嗎

劉禪是劉備之子，在劉備去世後繼位為蜀國皇帝。他將軍國大事先後全權委任於諸葛亮、蔣琬等人，自己卻沒有什麼作為。諸葛亮等賢臣相繼去世後，劉禪無力把持國政，加上宦官黃皓專權，蜀國逐漸衰敗。後魏國大舉伐蜀，劉禪投降，並舉家遷往洛陽。司馬昭見劉禪毫無野心，便封他為「安樂公」。

因此，在人們的印象中，劉禪始終是個碌碌無為的庸君，更被人們稱為「扶不起的阿斗」。然而，事實真是這樣的嗎？

諸葛亮曾在《與杜微書》中評價劉禪：「朝廷年方十八，天資仁敏，愛德下士。」《三國誌》中也有這麼一段記載，說諸葛亮對射君(身分不可考)稱讚劉禪，射君又將這件事告訴了劉備。劉備很高興，說：「射君到我這兒來時，說諸葛亮稱贊你(劉禪)，射君還向我說了許多關於你的好話，看來你超過了我對你的期望，我還有什麼好擔憂的呢？你可要努力啊！」

諸葛亮不是阿諛奉承之人，劉備也不會不識人，所以劉禪絕不像一些史書中所說的那麼無能。

此外，還有許多資料都說明，劉禪其實是一位有容人之量、頭腦靈活、知人善用的君主。諸葛亮在世的時候，劉禪視其如父，委以諸事，不加干涉。另外，劉禪絕對算得上是一位仁善君主。在他生活日益墮落腐化時，學者譙周和老臣董允上書勸諫，劉禪也只是不加理睬，從未在一怒之下大開殺戒。

當諸葛亮急於北伐時，劉禪對當時蜀國的形勢看得相當透澈，他非常清楚魏蜀兩國的實力根本就不在同一水準線上，又不好直接反對，只能規勸諸葛亮說：「相父南征，遠涉艱難；方始回都，坐未安席；今又欲北征，恐勞神思。」最後諸葛亮執意北伐，劉禪仍謹遵「事之如父」的遺訓，全力支持。諸葛亮去世後，劉禪仍能繼續領導蜀國三十年。單從他能讓皇權平穩維持這麼長時間這點來看，劉禪並非如史評的那麼昏庸。

二六三年，魏國大軍兵臨城下時，劉禪選擇了投降，成為亡國之君。有人說，其實劉禪心裡很清楚，如果蜀軍要抵抗魏軍，必然導致大量的士兵陣亡，甚至很有可能招致屠城之禍，讓百姓遭殃。因此，劉禪是為了保全子民，最終選擇了開門投降的。司馬昭若想殺劉禪，可謂易如反掌。身為階下囚的劉禪，不可能不明白這一點。要想保全性命，就必須讓司馬昭覺得他是個懦弱無能、貪圖享樂之人，不足為慮。所以「此間樂，不思蜀」其實是劉禪所放的一個煙幕彈，以此給司馬昭留下了「我無憂矣」的印象，成功地保住了性命。在當時的環境中，這無疑是最為明智的選擇，堪稱上上之策。在這個問題上，劉禪實在是一個能稱得上「大智若愚」的智者。劉禪到底是昏庸還是大智若愚，都還需要更多的史料來加以佐證。

唐太宗李世民的身世之謎

唐太宗李世民是唐朝的第二任皇帝，是歷史上有名的政治家、軍事家與明君。在位期間，他選賢任能，兼聽納諫，文治武功均有建樹，國家在他的統治下空前繁榮昌盛。但是，如今卻有人說李世民其實是鮮卑族人，這又是怎麼一回事呢？

據學者考證，唐太宗的祖母獨孤氏和母親竇氏都是鮮卑族人。那麼，至少說明李世民擁有鮮卑族的血統。至於李世民的父親李淵，雖然他自稱祖居關隴(今關中和甘肅東部一帶)，是西涼王李暠的後代，但有人卻認為李淵一族屬於河南破落的李姓家族，還有人說他是老子的後代，但這些說法都沒有確鑿的證據。於是，有人從胡人的風俗著手，來揭示李世民的真正身世。胡人的風俗中有父死子娶母為妻的習俗，也有一家的男人合用一妻的故事。在唐朝帝王史中，也發生過一些類似的事情。例如，武則天本來是唐太宗李世民的「才人」(皇帝妃嬪封號之一)，但李世民死後，武則天卻被唐高宗李治封為了「昭儀」(皇帝妃嬪封號之一)。幾年後，武則天竟做了李治的皇后。期間，一些老臣曾力諫李治，說武氏「曾侍先帝，衆所共知」，結果李治根本不以為意。此外，楊貴妃也是一例。楊貴妃本是唐玄宗的兒媳，卻被唐玄宗納為妃子。於是，有人以這兩個事例為據，推斷說，李氏原為胡人，不受中原禮教的約束，才會做出這些被中原人士所不齒的事情來。但是也有專家認為，這僅與個人的道德和意志有關，無法證明李氏的血統。

還有人在史料中發現了一個有趣的問題：在中國所有的帝陵中，只有唐太宗李世民的昭陵裡有戰馬石刻。據史書記載，昭陵墓有內外兩城。外城遺址已難以考證，門內當年建有獻殿，存放李世民生前所用器物。北門則放有十四個「蕃酉」的石雕像和馳名中外的「昭陵六駿」浮雕。用馬陪葬是突厥人特有的葬俗，那麼，是不是可以由從這些葬俗推斷出，李世民就是胡人呢？

有關專家認為，以上的結論只是從史料中推斷而來的，真相還得等到昭陵墓真正打開後，用科學的手段加以驗證。

相關連結

李世民與魏徵

唐朝著名的宰相魏徵，是中國歷史上最負盛名的諫臣。即使在李世民大怒的時候，他也敢直言進諫，所以李世民非常敬畏他。一次，李世民正在逗一隻上好的鷂鷹時，遠遠地看見魏徵來了，便趕緊把鳥藏在了懷中。結果由於魏徵奏事的時間過久，這隻鷂鷹被活活地悶死在李世民的懷中。

李白的出生地之謎

唐代大詩人李白留下了許多流芳百世的詩篇。然而這位大詩人的故鄉到底在哪裡，至今仍是未解之謎。

四川說

與李白同時代的一些人，如著名的書法家李陽冰，李白的詩友魏萬以及詩人范傳正等，都認為李白是蜀人，即今四川人。從李白的詩文中可以看出，這位大詩人也認為自己是蜀人。例如，李白離開蜀中、乘船過三峽至荊州時寫下的《渡荊門送別》詩中，李白把從三峽奔騰而下的長江水稱為「故鄉水」。由此可見，李白把位於長江上游的巴蜀看做自己的家鄉。

中亞碎葉說

一九七一年，郭沫若在《李白與杜甫》一書中，根據范傳正《唐左拾遺翰林學士李公新墓碑並序》中的記載，認為李白出生於中亞細亞的碎葉城，其位置在今吉爾吉斯斯坦的托克馬克。同時，郭沫若又對自己的論點和唐代文獻記載的矛盾之處作了說明。他認為：「唐代有兩處叫碎葉的地方：其一即中亞碎葉，又其一為焉耆碎葉。李白的出生地是中亞碎葉，而不是焉耆碎葉。」

李白像

條支說

近年來，一些學者提出了新的看法。有人認為李白的出生地是條支，即今阿富汗中部一帶。這些學者對李白的一些詩作，如《江西送友人之羅浮》、《贈崔諮議》等進行探討，認為詩中描寫的一些景象，都證明了這一說法。還有人說，條支都督府臨近西天竺的印度河流域，那裡盛產青蓮花。李白幼年有機會親眼看見青蓮花，所以後來便自號為「青蓮居士」，以此表達其對出生地及童年生活的追憶和眷戀。

包拯是黑臉嗎

一提起包拯「包青天」，我們想到的就是一位臉龐黝黑，額頭上長著小月牙，鐵面無私、公正廉潔的人物形象。然而，大家有沒有想過，這位宋朝的大清官其實是一位五官端正、眉清目秀的白面書生呢？如果真是這樣，那為什麼在如今的文學作品、戲劇或影視作品中，包拯都是以黑臉的形象出現的呢？

北宋咸平二年(九九九年)，包拯誕生於廬州合肥(今安徽合肥)的一個名門望族。他既沒有兄嫂，也沒有坎坷的身世，自幼勤學苦讀，二十九歲時考中進士。由於包拯的父母年事已高，包拯不忍遠離他們，便選擇留在家裡孝敬雙親。七年後，父母離世，包拯又為他們守孝三年，才在朋友的勸說下踏上仕途之路。

為官之後的包拯是不是像現在的文學作品中所說的那樣，是一位斷案高手呢？答案是否定的。包拯的政績並非在斷案上，因為史書中除了記載他曾斷過一樁「牛舌案」外，對他裁斷過其他的案例並無記載。事實上，包拯是因為能真正的「為民做主」而深得民心的。

最為後人傳頌的是，包拯以五十八歲的高齡在開封府擔任權知(以朝廷臨時差派某地的名義治事)時的事蹟。任職期間，他積極打擊權貴，秉公執法，讓那些胡作非為的權貴十分害怕，卻贏得了百姓的擁戴。因此，《宋史・包拯傳》中便有這樣的記載：「包拯立朝剛毅，貴戚宦官為之斂手，聞者皆憚之。」

此外，包拯還是一位令皇帝傷透腦筋的諫臣。包拯曾多次彈劾貪官和庸官。據統計，在他的彈劾下被降職、罷官、法辦的權臣不下三十人。他曾七次彈劾酷吏王逵，四次彈劾皇親郭承祐，就連宰相宋庠，其人並無過錯，卻因毫無建樹而被包拯彈劾。後來，包拯以「凡庸之人」應該離職為理由，三次彈劾宋仁宗專寵的張貴妃的叔父張堯佐，惹惱了宋仁宗，結果被降職調離了京城。但同時，他卻被加封了個龍圖閣直學士的虛銜，這也是後人稱他為「包龍圖」的緣由。

六十三歲時，包拯因政績卓越被提拔為樞密副使，相當於主管軍事的副宰相，這也是包拯一生擔任過的最高官職。然而，一年後，這位剛直不阿、疾惡如仇、愛民如子的大清官便病逝在任上。

出於對包拯的敬仰和對清官的企盼，於是百姓便自然而然地讓包拯成為了民間傳說和話本小說中的主人公。再後來，這些民間傳說和話本小說又被改編成戲劇，於是包拯又成為了頻繁出現在戲劇舞臺上的人物。另一方面，在中國戲劇的臉譜中以黑色表示剛烈正直，這與表示奸詐狡猾的白色臉譜正好形成鮮明的對比。久而久之，包拯便以黑臉的形象留存在大家的記憶裡了。

歷史上真有郭靖其人嗎

他，生於朝政腐敗、外敵入侵的亂世，因「靖康之恥」而得名；他，生性單純、資質愚鈍，卻因為各種機緣際遇而習得一身武藝；他，懷著一顆深沉的愛國愛民之心，鎮守襄陽，抵抗元軍，被人尊為一代大俠。他，就是金庸筆下《射雕英雄傳》中的主人公——郭靖。然而，歷史上真有郭靖其人嗎？

據考證，歷史上的確有郭靖這個人！只不過，他既不會「降龍十八掌」，也沒有娶得「女中諸葛」黃蓉為妻。那麼，真正的郭靖究竟是怎樣一個人呢？

據《宋史・忠義傳四・郭靖》記載：郭靖是四川嘉陵江地區一個地方武裝護衛隊的首領。南宋開禧二年(一二〇六年)，當地的宣撫副使吳曦叛變，投降了金國。可是，郭靖和當地百姓卻不願意降金，於是一起帶著老人和孩子背井離鄉，準備順著嘉陵江而下，投奔南宋朝廷。這一舉動遭到了吳曦的阻攔，他派出軍隊，想要把這些百姓趕回家。

鐵骨錚錚的郭靖對此感到異常悲憤，他對弟弟郭端說：「我們家世世代代都是大宋的子民。如今金兵入侵我大宋，我們兄弟二人不但不能以死報國，反而要入關避難，如今又遭到吳曦的驅趕。身為大宋男兒，我寧願死在這裡，做趙氏王朝的鬼。」說完，他便投江自殺了。乍看之下，真實的郭靖和《射雕英雄傳》裡的郭靖完全是兩個人，一個是默默無名的普通百姓，一個是萬人景仰的射雕大俠；一個沒有蓋世的武功，一個武功造詣極高；一個死去的時候，蒙古還沒有開始侵略宋朝，一個是在抵抗蒙古兵攻城的時候陣亡。然而，這兩人的愛國之心和面對強敵時那種大義凜然的氣概卻是一樣的。那麼，從這一點上來說，真實的郭靖也算得上是一位「大俠」了。

也許，《射雕英雄傳》裡的郭靖，就是金庸以這些民間的俠義之士為原型，綜合創造出來的一個人物。從郭靖的身上，我們看到了「俠」的真正的涵義：「俠之大者，為國為民。」因此，無論一個人曾經是叱咤風雲，或是多麼平凡，只要他有一顆為國為民的心，都可以被稱為「俠」。

金庸與他的武俠作品

金庸，原名查良鏞，是當代著名的武俠小說家，與古龍、梁羽生並稱為中國現代武俠小說三大宗師，《射雕英雄傳》是其代表作品。金庸為自己著作的十五部武俠小說寫了一副對聯，即「飛雪連天射白鹿，笑書神俠倚碧鴛」，橫批為「越女劍」。

香妃之謎

在北京城南風景宜人的陶然亭公園的東北角，有一方石碑，石碑的正面刻著「香塚」兩個大字，背面則刻著一首凄切哀婉的詞。據說，這就是著名的「香妃」墓。香妃是乾隆皇帝寵愛的妃子，傳說乾隆皇帝將其安葬在這裡。可是，在新疆的喀什噶爾和河北的遵化也都有香妃墓，這又是怎麼一回事呢？

回部香妃說

傳說，香妃本是回族首領霍集佔的王妃，她不但國色天香，而且與眾不同——生來身上就有一種奇香。這種香味既不是花香，也不是粉香；不用香草薰，也不用香湯洗，卻可以香氣襲人，沁人心脾，所以人們都稱她為「香妃」。

清高宗乾隆本是個風流皇帝，他聽說此事後不能忘懷，總想得到香妃。正巧，霍集佔(小和卓)造反，清廷派兵鎮壓，並趁機將香妃捉來。香妃果然名不虛傳，人還未到，香氣先聞。乾隆一見大喜，趕忙對其噓寒問暖。可是，香妃卻冷若冰霜，百問不答。後來這件事傳到太后耳中，太后唯恐香妃報復乾隆，於是趁著乾隆外巡的時候命人把她絞死了。乾隆聽到這個消息後，急忙趕回。他看到香妃面帶微笑，閉目無息，不禁號啕大哭，痛悔自己害了她。可是此時已人去樓空，只有一股香氣依舊嫋嫋瀰漫。為了表達自己對香妃的哀悼，乾隆便下令用軟轎將香妃的遺體抬回新疆喀什安葬，並撥款修建了香妃墓。

容　妃　說

一些人查閱了清宮檔案後，猜想所謂的香妃其實就是乾隆的寵妃——容妃。因為她是乾隆四十多個嬪妃中唯一的回族女子。再者，中國第一歷史檔案館所藏的《容妃遺物析》中也提到了部分容妃家人的姓名，其中有額思音、帕爾薩、圖爾都妻等。而額思音是香妃的五叔，帕爾薩是香妃的六叔，圖爾都妻是香妃的嫂子。既然香妃和容妃的家屬都是一樣的，那麼兩個人自然就是同一個人了。乾隆五十五年，容妃病故，葬於河北省遵化縣清東陵西側的「裕妃園寢」。如果說容妃就是香妃，那麼這座墓當然就是香妃墓了。

但是，有人卻認為，容妃與香妃並不是一個人。因為容妃既沒有體香，也不是被擄入京的，更沒有被賜死。

容妃像

歷史的真相究竟如何，還需要進一步考究。

埃及豔后死亡之謎

埃及豔后克里奧佩特拉七世，是古埃及托勒密王朝的最後一個女王。傳說她美麗妖豔，擅用政治手腕，憑藉自己的美貌和才能為弱小的埃及贏得了二十多年的和平。

豔后的真實面貌

這位讓羅馬的統治者、將領紛紛拜倒在石榴裙下的女王，真的如傳說中的那般風華絕代嗎？事實似乎並非如此。

德國柏林博物館有一尊據稱是全世界保存最完好的埃及豔后的肖像：綰著一個簡單的髮髻，鷹鉤鼻，沒有任何佩飾。從這尊肖像來看，女王的相貌普通，完全沒有傳說中的那樣美豔動人。二〇〇一年，大英博物館也展出了一座女王的雕像，這尊雕像更是讓任何人無法將之與傳說中美麗而高貴的豔后相聯繫。雕像身高大約一・五公尺，體形偏胖，脖子上還有贅肉。

二〇〇七年，在英國紐卡斯爾大學塞夫頓博物館展出的一枚銀幣上，埃及豔后的形象是：短前額、尖下巴、薄嘴唇和鷹鉤鼻。銀幣的另一面，她的情人、羅馬將軍馬克・安東尼的形象也好不了多少，不僅眼睛外凸，而且脖子粗短。

不過，無論是中世紀的阿拉伯文獻還是近代考古研究的結果都證明，克里奧佩特拉是一個才華出衆的大學問家。也許，她並非憑藉自己的美貌，而是憑藉自己出色的智慧和才幹，贏得了羅馬將領們的傾慕，為埃及爭取到了和平。

死亡之謎

傳說克里奧佩特拉利用美色贏取了羅馬凱撒大帝的幫助，從而奪回了埃及王座。她還為愷撒生下了一個兒子——小凱撒。後來凱撒不幸遇刺身亡，她又投身到羅馬新貴安東尼的懷抱。安東尼為了她拋棄了妻子，也就是屋大維的姐姐。於是屋大維對安東尼發動了一場規模很大的海戰。當時雙方勢均力敵，可就在戰爭進行到白熱化階段時，女王突然將她的艦隊全部撤走，接著安東尼拋棄了士兵，一個人尾隨女王到了埃及。一年後，屋大維攻打埃及，安東尼拔劍自盡，女王被生擒。但這次她沒能誘惑住屋大維，最後自殺身亡。關於克里奧佩特拉的死並沒有第一手的文獻資料，最早的記載也是她死後百年才出現的，因而她的死給歷史學家們留下了至今不解的謎團。她真的是自殺的嗎？又是用什麼方法自殺的呢？

目前一般認為，她是被毒蛇嚙咬而中毒身亡的。有人說，在得知自己要被作為戰利品帶回羅馬示衆的時候，她讓毒蛇咬傷了自己的手臂，中毒昏迷而死。而這條名叫「阿斯普」的小毒蛇，是她事先安排一位農民將牠藏在一個盛滿無花果的籃子裡帶進來的。也有人認為她早就把毒蛇餵養在花瓶裡，後來用一枚金簪子刺傷蛇的身體，引牠發怒，直到纏住她的手臂，把她咬死。還有一種意見認為，女王的死，不是因為中毒，而是她自己用一枚空心錐子刺入自己的頭部所致。

然而，也有不少人反對上述意見，因為女王的屍體上沒有發現刺傷或咬傷的痕跡，在墓堡中也未找到任何有毒的小蛇。因此，他們認為女王是服毒而死的。但是又有人根據考證材料，提出墓堡朝向大海的一側開有一個窗戶，受驚的毒蛇是可以從這裡溜走的。另據女王的醫生認定：「她的手臂上確實有兩個不太明顯的疤痕。」而且，她死於毒蛇的論斷，屋大維也是深信不疑的。因為在他的凱旋儀式上，克里奧佩特拉的塑像上被安排了一條毒蛇纏繞在她的手臂上。

關於埃及豔后的神祕死亡，以上均是很早以前的說法。據後來考古學家的考證，克里奧佩特拉並不是死於自殺，而是被謀殺的！美國犯罪心理學家帕特・布朗就認為，女王可能死於一場精心策劃的政治謀殺，最有嫌疑的正是後來的奧古斯都大帝屋大維。布朗稱：「埃及沒有女僕殉死的傳統，為什麼兩名女僕在埃及豔后自殺後，不立即喊衛兵幫忙，而是選擇了一起死亡？答案非常簡單：屋大維除掉了所有的目擊者！」

究竟是克里奧佩特拉自己在即將面臨的屈辱之前選擇了高貴地死去，還是那個新時代的第一位君主屋大維，不能容許威脅自己地位的她和小凱撒的存在，而採用了卑劣的謀殺手段，我們只有期待用更多的研究來找出答案了。

伊莉莎白一世為何終身不嫁

伊莉莎白一世是英國都鐸王朝時期的最後一位君主，她即位後不但成功地保持了英格蘭的統一，而且使英國成為了當時歐洲最強大的國家之一。因此，她統治的時期被稱為「伊莉莎白時期」，也被稱為「黃金時代」。然而，就是這樣一位優秀的女性卻選擇了終身不嫁，這又是怎麼一回事呢？

心靈受創

伊莉莎白一世生於一個非常複雜的家庭中，她的父親亨利八世曾經歷過六次失敗的婚姻，她的母親安妮·博林是亨利八世的第二任妻子，她在生下伊莉莎白後的第三年便被亨利八世以「通姦」的罪名處死了。有人認為，由於伊莉莎白一世目睹到父親處死母親的一幕，使她的心靈受到了創傷，以至於在她成年後仍然覺得伴夫如伴虎，從而拒絕成為他人的妻子。

為國犧牲

伊莉莎白一世繼承王位的經過也非常曲折。她的父親亨利八世去世後，由她同父異母的弟弟愛德華六世繼承王位。但這位年輕的君主身體孱弱，即位沒幾年就去世了。之後，她同父異母的姐姐瑪麗繼承了王位，史稱「瑪麗一世」。由於瑪麗一世和伊莉莎白信仰的宗教有很大的衝突，於是她一度囚禁伊莉莎白，甚至還想處死她。幸運的是，瑪麗一世的計畫還沒來得及實施，就死去了。因為瑪麗一世沒有子嗣，所以伊莉莎白便順理成章地成為了王位的繼承人。然而，在即位之初，伊莉莎白一世的地位仍不穩固。她也清楚地認識到，自己的婚姻關係到國家的穩定和安全。雖然，當時各國的國王和王子紛紛向伊莉莎白一世求婚，但都被她拒絕了，因為，她知道求婚的背後有著利益的驅使。於是，有人認為伊莉莎白是為了自己的國家才選擇終身不嫁的。

無奈的結果

也有人說，伊莉莎白一世終身未嫁是無奈的結果。其實伊莉莎白一世曾經喜歡過萊賈斯特伯爵羅伯特・達德利，但伯爵早有妻子。後來，伯爵的妻子突然身亡，於是人們對女王和伯爵的關係議論紛紛。伊莉莎白一世怕與伯爵結婚會引來更多的非議，而這顯然是有損君王尊嚴的，於是她最後不得不結束與伯爵的感情。

還有人說，伊莉莎白一世是想以終生獨身來保住英格蘭的獨立地位。也有人認為，伊莉莎白一世是故意不想結婚，因為繼承人會影響到她的王位……關於伊莉莎白一世為什麼會終身未嫁，猜測很多，然而誰也沒有確切的證據來給予證實。

誰是真正的莎士比亞

《哈姆雷特》、《奧賽羅》、《李爾王》、《麥克白》……這些舉世聞名的巨作都出自「人類最偉大的戲劇天才」——威廉・莎士比亞之手。時隔幾百年後，人們對莎士比亞的著作的熱情仍然未減分毫。但是，這樣一位重要人物的身世卻有許多不為人知的地方。史書對其記載甚少，他本人也沒有留下隻言片語來介紹自己的生平事蹟。而且，在他衆多的著作中，只有兩首長詩是在他生前發表的，其餘的都是他死後由別人搜集整理後陸續問世的。於是，人們便開始懷疑，「莎士比亞」是其他人的筆名還是確有其人。

伊莉莎白一世說

有人認為莎劇的真正作者是英國女王伊莉莎白一世，「莎士比亞」只是伊莉莎白一世假借的名字。因為莎士比亞作品中的辭彙數量多達二・一萬個以上，一般人顯然無法掌握如此龐大的辭彙量。而與莎士比亞生活在同一時代的伊莉莎白一世卻能輕易做到這一點。伊莉莎白一世從小就接受過良好的教育，知識廣博，辭彙豐富，機智善辯，更重要的一點是，伊莉莎白一世去世後，以「莎士比亞」為名發表的作品數量明顯下降，品質也大為遜色。於是便有人推測，這些很可能是女王早期的不成熟之作，是在她死後由別人收集、整理後出版的。巧合的是，出版莎士比亞第一本戲劇集的潘勃魯克伯爵夫人，正是伊莉莎白一世的好友親信和遺囑執行者。

弗蘭西斯·培根說

有人認為莎士比亞的真正身分是英國的哲學家、思想家、作家和科學家弗蘭西斯·培根。理由有以下兩點：

一是培根出生於倫敦的一個官宦世家，他的父親是伊莉莎白女王的掌璽大臣，曾在劍橋大學攻讀法律。他的母親也是一位才女，精通希臘文和拉丁文。良好的家庭教育使培根成熟較早，各方面都表現出異乎尋常的才智。十二歲時，培根被送到劍橋大學三一學院深造。而莎劇的內容涵蓋甚廣，上至天文、下至地理，外及異國、內涉宮闈，只有藝術功底深厚、生活經歷豐富的人才能寫出情節如此生動的劇本。在當時，只有培根符合這一要求。

二是有人將培根的筆記與莎士比亞初版作品進行比較分析，發現二者之間有驚人的相似之處。

綜合以上兩點，於是有人便認定培根才是莎士比亞作品的真正執筆人。只不過當時的英國上流社會認為編寫戲劇劇本是一件有傷風化的事，於是迫於社會壓力，培根不得不虛構了莎士比亞這個筆名進行創作。

法國「鐵面人」之謎

在法國著名作家大仲馬的小說《布拉熱洛納子爵》中，有一個被關在巴士底獄並永遠蒙著面罩的角色。這個角色的原型就是法國歷史上著名的「鐵面人」。

神祕的鐵面人

這個在獄中被關了三十四年之久卻一直帶著面具的囚犯，最後孤獨地死在巴士底獄中，死後以「厄斯塔什・杜齊埃」的名字被埋葬。這個看不出任何背景的名字，顯然與他在獄中所受到的特殊待遇極不相稱，所以後來的史學家都認為這並不是死者的真名。循著這個名字，研究者們還是找到了一些線索。

最早涉及到厄斯塔什・杜齊埃的文獻是一六六九年七月十九日陸軍大臣盧瓦給當時皮涅羅爾監獄長聖馬爾的一封信。信中這樣寫道：「聖馬爾先生，奉聖旨將一個名叫厄斯塔什・杜齊埃的人護送到皮涅羅爾。最重要的是，對這個人要嚴加隔離，不允許他向別人提及自己的身分。希望你趕緊準備好監禁此人的單身牢房……窗戶應設在誰也無法靠近的地方，門要設置成多層的，使守衛在外面的哨兵什麼也聽不到。每日送一次一天的飯食，由你親自送到鐵面人的手上……如果有什麼事，也不得傾聽這個人說話。如果說了多餘的話，證明屬實將判死罪。」從此，聖馬爾的工作便和鐵面人聯繫在了一起，他總是隨著鐵面人從一個監獄轉移到另一個監獄。

路易十四像

無論是在轉移過程中，還是在轉移前後，鐵面人總是被嚴密地隔離起來，無法與任何人交流。據記載，一六九八年，當鐵面人被押解到巴士底獄時，周圍的商店被勒令關門停業，警衛們也臉朝著牆迎接，目的是不讓人看到囚犯的臉。在獄中，這個囚犯有專用的房間和餐具，日常生活都由監獄的副官負責，而每頓飯則由獄長親自送達。獄長在這個犯人的面前，還得恭恭敬敬地站立著。然而，這個地位貌似很高的囚犯比普通犯人更缺乏自由：他甚至不能說話，一旦暴露身分就會被當場殺掉；另外，即使在吃飯時，也不許摘下面具。

一七〇三年十一月十九日，這個被囚禁了三十四年的犯人在巴士底獄去世了。他死後，巴士底獄火速採取了非常手段。他用過的一切東西都被燒成灰燼丟棄在廁所裡；燒不掉的金屬製品全被熔化；牢房的牆壁被刮掉，重新抹上了好幾層白灰；甚至連地面的瓷磚也被剝掉，貼上了新的。總之，囚犯留下的一切痕跡全部被抹除了。次日，這個囚犯的屍體被悄悄地葬於聖保羅教區的公墓。

據說，下達囚禁命令的是法國國王路易十四，原因是鐵面人掌握著能威脅波旁王朝的祕密。可是路易十四為什麼不直接將他殺掉，卻要將他終身囚禁呢？為什麼還不能讓任何人看見他的臉呢？這一切都讓人們迷惑不已，關於鐵面人的種種傳聞也在暗中流傳。

各種各樣的猜想

十八世紀下半葉，法國啟蒙思想家波代爾提出了一個猜想，他認為鐵面人是路易十四的母親安娜王后與當朝宰相馬扎朗的私生子。當時流傳路易十三與王后安娜的關係不好，王後與宰相有了私生子後，一心想讓國王認為私生子是他親生的，卻沒想到後來和路易十三生下了路易十四。無奈之下，先前生下的私生子只好被藏匿到了別處。後來，長大成人的路易十四知道了事情的真相，害怕同母異父的哥哥爭奪王位，便把他抓了起來。因為兩人長得十分相像，於是路易十四給他戴上了鐵面具，將他幽禁在牢裡。

然而波代爾的「私生子說」並未得到大多數人的認可，因為當時王后的生育是國家大事，私生子的事情肯定是無法隱瞞的。而且如果確定是王室的血脈，非但不會下獄，還要封賞領地和支配定額的養老金。

一八四七年，作家大仲馬在小說《布拉熱洛納子爵》中又提出了一個觀點：「鐵面人是路易十四的孿生兄弟，在獄長聖馬爾寫的某機密文書上有記錄。」大仲馬說的機密文書是在法國大革命後的內務部的檔案室裡被發現的。根據檔案，「路易十四誕生於一六三八年九月五日上午十一時，其孿生兄弟誕生於當夜的八時三十分」。

然而，大仲馬的「孿生兄弟說」所依據的文件的真實性引起了很多人的懷疑。因為即使聖馬爾獄長知道這個事實，按其職責也是嚴禁記錄的，一旦被路易十四察覺，就會被處以死罪。而且，後來的歷史學家查明，記錄出生時間的內務大臣里什圖當時並不在生育的現場。那麼所謂的機密文件不是子虛烏有，就是偽造的。

十九世紀末，有人大膽假設，認為鐵面人是英國國王查理一世。他們說，查理一世並沒有死在斷頭臺上，而是他忠實的追隨者代他受了刑。為了隱藏這個祕密，查理一世逃到了法國，並終身隱居在巴士底獄。但是，史料記載查理一世被送上斷頭臺是在一六四九年，而鐵面人被送進監獄則是在一六六九年，被轉移到巴士底獄則是在一六九八年。這中間有好幾十年的時間空白，讓這種說法顯得很牽強。而且查理一世出生於一六〇〇年，他在七十歲高齡的時候還要逃到監獄裡苟活，似乎也不太現實。

也有人認為，鐵面人是路易十四的生父多熱。根據史料記載，路易十三和王后安娜不合，並長期分居，是擔任首相的紅衣大主教黎塞留從中調和，兩人才重歸於好。有人猜測當時王后已經與貴族多熱有了孩子，因此才會重新投入路易十三的懷抱。路易十三和安娜王后和好後不久，就生下了路易十四，所以長久以來，人們一直懷疑路易十三和路易十四的父子關係。據說，多熱為掩人耳目被迫遠走他鄉。路易十四登基後，多熱悄悄返回，向路易十四說出了事情真相。路易十四害怕醜聞暴露，又不好對生身父親下毒手，只好把他罩上鐵面罩，送到監獄度過餘生，同時又給予最好的照顧。法國社科院院士潘約里在其一九六五年出版的《鐵面罩》一書中，就支持這種說法。

最近，關於鐵面人的身分又有了新的說法，而且可能是有著最可靠的證據的說法。不過，讓人意外的是，找到證據的線索居然是一直被視為假名的「厄斯塔什·杜齊埃」。

一位歷史學家在法國國家圖書館的古文獻中發現了這個名字，他是路易十四衛隊中的一名軍官。有關他的記錄中，只有出生記錄，卻沒有死亡記錄，而且他的情況從一六六八年起就沒有記載了，而一六六八年正是鐵面人被投入監獄的前一年。

根據檔案記載，這個厄斯塔什是個十足的紈綺子弟，後來因負債累累被家族拋棄。最後，他竟然想敲詐路易十四，於是被捕並被幽禁起來。據說，他用來敲詐路易十四的正是足以動搖波旁王朝的重大祕密。

現今留下的厄斯塔什的肖像與路易十四的一模一樣。據此，歷史學家們推測厄斯塔什是路易十四同父異母的兄弟，所以路易十四才會讓他戴上面具，不讓任何人看到他的臉。

厄斯塔什為什麼會是路易十四同父異母的兄弟呢？原來，據說路易十三不能生育，宰相里什圖考慮到國家不能沒有繼承人，於是向國王提出應該找個代理父親，而最終的人選是路易十三的副官弗朗索瓦。於是王后與杜齊埃生下了路易十四。只是沒想到，路易十四與杜齊埃家的孩子厄斯塔什長得幾乎一模一樣。成年後的厄斯塔什很快掌握了這個祕密，因此一六六九年靠舉債度日的厄斯塔什便以這個祕密來要脅身為國王的異母兄弟。路易十四只得將他抓捕入獄，並且給他戴上面具，幽禁終生。

這個有關鐵面人的推理似乎是最有說服力的，但也不是完全沒有疑點。總之，關於鐵面人的真實身分，目前仍然撲朔迷離，今後也許還會有更多的假說出現。

牛頓精神失常之謎

創建了微積分和經典力學的英國近代科學家牛頓，在他五十歲之後，曾一度精神失常，直到兩年後才逐漸恢復正常。因為牛頓本人的傑出貢獻，令他發病的原因引起了不少人的關注。甚至一直到今天，仍有人在研究這個問題。

用腦過度說

比較普遍的觀點認為，這是由於牛頓長期從事腦力勞動，用腦過度，精力和體力極度透支造成的。由於長期極度緊張的工作，使正當盛年的牛頓未老先衰，不到四十歲，他的頭髮、鬍子就全白了。有科學家認為，這種異常變化正是某種疾病的先兆，如植物神經功能紊亂等一些慢性病，通常就以頭髮變白為先兆。而牛頓之所以會突然精神失常，正是由於其長期極端緊張工作、用腦過度造成植物神經紊亂導致的。

心理壓力說

也有人認為牛頓的精神失常並不純粹是生理上的，而是長期形成的生理機能障礙，在外界因素的刺激下引起的心理異常的結果。一六七七年，他的恩師巴羅和皇家學會幹事巴格相繼去世，他沉浸於巨大的悲傷中不能自拔，曾一度中止了證明萬有引力定律的研究工作。一六八九年，母親的逝世更使他陷入到痛苦自責的深淵。他認為自己一直專注科學研究，並未使母親過上舒適的生活。母親去世後很長時間，他都萎靡不振。之後，一場意外的大火又將他多年心血凝成的科學手稿無情燒毀。心理上承受的巨大失落和痛楚最終導致了他精神崩潰。

汞中毒說

另一種較新穎的觀點認為，牛頓的精神失常是由於長期接觸汞而造成的汞中毒。

有兩位研究牛頓生平的學者曾獲得牛頓留下來的四綹頭髮。在使用現代技術對頭髮進行綜合分析後發現，牛頓頭髮中有毒微量元素的含量高出正常人許多倍，尤其是汞的積蓄量竟超出了允許值的二十倍。他們由此斷定，由於牛頓長期進行科學實驗，經常接觸一些有毒金屬的蒸氣，特別是長期接觸汞而導致了汞中毒，這是引起他精神失常的主要原因。

但以美國科學家狄士本為代表的一部分學者，對上述推測則持懷疑甚至否定的態度，他們認為這種推測是不可靠的。原因是：首先，現在已經無法證明這幾綹頭髮是牛頓精神失常時期的還是其他時期的；其次，牛頓的這些頭髮分別保存在不同的地區不同的環境中，而且經歷了二五〇年之久，頭髮中所含的微量元素會受不同環境因素的干擾而發生變化。即使這四綹頭髮是他精神失常時的頭髮，到今天也已不再是它當時的原狀了。另外，有學者統計，牛頓每年接觸汞的時間不會超過一百小時，構不成汞中毒的時間條件。而且即使在他發病期間，也未出現牙齒脫落、手指顫抖等汞中毒的跡象。所

牛頓像

以汞中毒這一說法是不可靠的。

時至今日，關於牛頓晚年突然精神失常的問題，專家們仍是各持己見，爭論不休。

站在巨人肩上的牛頓

牛頓曾花費大量精力進行化學實驗，然而他在化學領域卻幾乎沒有取得什麼顯著的成就。與之相反，他在數學、光學、力學等方面卻做出了卓越的貢獻，其中一個原因就是在他之前已經出現了伽利略、開普勒、惠更斯等物理、天文學家，他們研究與發現的成果為牛頓進行科學探索打下了堅實的基礎。因此，牛頓曾說過這樣一句話：「如果說我看得遠，那是因為我站在巨人的肩上。」

安徒生是丹麥王子嗎

安徒生是十九世紀丹麥著名的童話作家，世界文學童話的創始人。他寫的童話《海的女兒》、《醜小鴨》、《賣火柴的小女孩》、《國王的新衣》在世界上的知名度非常高。

關於安徒生的生平，權威的傳記作家們都確切無疑地告訴我們：一八〇五年，安徒生出生於丹麥富恩島上歐登塞城中一間低矮破舊的平房裡。安徒生的父親是一名貧窮的修鞋匠，雖然他讀過不少書，擁有豐富的想像力，但這對於改善他們的生活沒有任何實質性的幫助。安徒生的母親是一位質樸的女人，靠著替別人洗衣服來補貼家用。

安徒生的父親在他十一歲那年就去世了，他的母親只好把他送到工廠裡做童工。安徒生喜歡唱歌，工友們經常被他那響亮、清脆的歌聲吸引。十四歲那年，他成了哥本哈根皇家劇院裡的一名小配角。可是不久後，一場大病襲擊了他，損害了他的嗓子，因此他被劇院解雇了。從此，安徒生開始了寫作之路。

三年後，安徒生寫出作品《嘗試集》。由於出身寒微，他的這部作品沒能出版，但他已經引起文化界某些人士的注意。經過漫長的刻苦努力，他陸續寫出了《阿英索爾》、《維森堡大盜》等劇本，以及《阿馬格島漫遊記》等浪漫幻想遊記和《卡爾里·克里斯蒂安二世》等小說。一八三五年，他的第一本童話集出版。他創造的童話世界是幸福而快樂的，因為他知道這些童話對那些貧苦的孩子度過童年是有益處的。

有趣的是，權威傳記作家們所提供的論證並不能使所有的人信服。一位叫做延斯·約根森的歷史學家在他的《安徒生——一個真正的童話》一書中，就聲稱安徒生其實出身王族，是丹麥國王克里斯蒂安八世和勞爾維格伯爵夫人的私生子。因為安徒生曾經打入王族的圈子，出入於皇家劇院，還曾在皇家的宮殿阿馬林堡宮住過一段時間，如果他僅僅是以「鞋匠的兒子」這種身分，是很難做到的。如果說安徒生曾經受到過王室的祕密資助，那麼就能夠理解這一點了。此外，他還提供了一份資料：安徒生曾經在給一位海軍上將的女兒亨麗艾特・吳爾芙的信中，提到過自己是王子的感慨。另有資料也證明，在當時的年代，國王和貴族與一般平民婦女偷情的事情是存在的，而且十之八九會生下孩子。一般這種情況發生後，國王和貴族會給這些婦女寫信，並寄錢給她們，用以撫養孩子。

想要確定安徒生究竟是不是丹麥王子，我們首先得確定他母親的生平。然而，有關專家找了許多資料和檔案，也沒能找到相關的記錄。而且如果安徒生真的是王子的話，那為什麼在他的自傳《我一生中的童話》中沒有提到這一點呢？安徒生究竟是不是丹麥王子，至今仍是一個謎。

「性感女神」瑪麗蓮・夢露之謎

瑪麗蓮・夢露是二十世紀美國最著名的電影女演員之一，也是舉世公認的性感女神。當年，在美國大兵的床頭，十之八九都張貼著夢露的海報，如今她依然是影迷心中永遠的流行文化的代表人物。然而，人們只看到了她光鮮的表面，卻鮮有人知道隱藏在她背後的難解之謎。

性別之謎

人體共有二十三對染色體，其中一對性染色體決定著人的性別。正常女性的性染色體為XX核型，男性性染色體為XY核型。然而，一位名叫凱斯的法醫通過對夢露的組織細胞進行研究，卻發現夢露的性染色體兼有XX和XY兩種核型，且XY核型佔主導地位。也就是說，夢露既不是男人也不是女人，從醫學的角度來說，她屬於兩性畸形。

其實，兩性畸形的人並不罕見。美國有一項調查表明，美國每年會有約二千六百名兩性畸形者出生。一般情況來說，兩性畸形的人是可以正常生活的，嚴重者則可以通過做變性手術來提高生活質量。如果他們選擇變成女性的話，甚至還可以生育。

於是有人推斷，夢露在很小的時候就由她的監護人在不知道其性染色體的真實情況下，依據她的外觀相貌替她選擇了女性。從此，夢露便以女性的角色生活在社會上。

但是也有人說，要解開瑪麗蓮・夢露的性別之謎，首先就要確定凱斯法醫提供的這則消息是否真實，然而這仍需要一段時間。

死因之謎

一九六二年八月五日，三十六歲的瑪麗蓮・夢露神祕猝死於洛杉磯家中的床上。對此，官方的說法是「過量用藥，是急性巴比妥酸鹽中毒」。的確，在這之前，夢露由於未能擔任一個電影角色而有點心神不安，於是她的醫生給她開了烈性安眠藥巴比妥酸鹽。但這並不能說明夢露是自殺的，因為在此之前的幾天，她還神采奕奕地接受《生活》畫報的採訪，並滿懷信心地表示要繼續奮鬥下去。

二○○五年八月，八十六歲的洛杉磯退休法醫約翰・麥納公布了夢露死前給心理醫生格林遜的錄音帶。原來夢露的身世坎坷，她還沒有出生時，她的父親就離開了，她母親也沒有盡到撫養的責任。她的童年是在不同的寄養家庭和孤兒院之間輾轉度過的。童年的特殊經歷給夢露的心靈留下了無法彌補的創傷。在夢露的心中，她一直認為自己是個被遺棄的孩子。雖然，在公共場合她竭力讓自己成為萬眾矚目的焦點，但是在獨處時，她卻用各種方式甚至是鎮靜劑來抵禦焦慮。加上她自己幾次失敗的婚姻，也讓她備受打擊。儘管夢露接受了心理治療，但還是無法撫平心中的傷痛，最終她選擇了結束生命。

關於夢露的死還有其他的說法。在唐・沃爾夫的新書《謀殺報告》中就提出了夢露並非自殺，而殺害她的真正兇手就是甘迺迪總統，依據是夢露和甘迺迪有過私情，甘迺迪為了自己的政治前途，謀殺了夢露。

夢露究竟是自殺還是他殺，目前還沒有真正的結論。

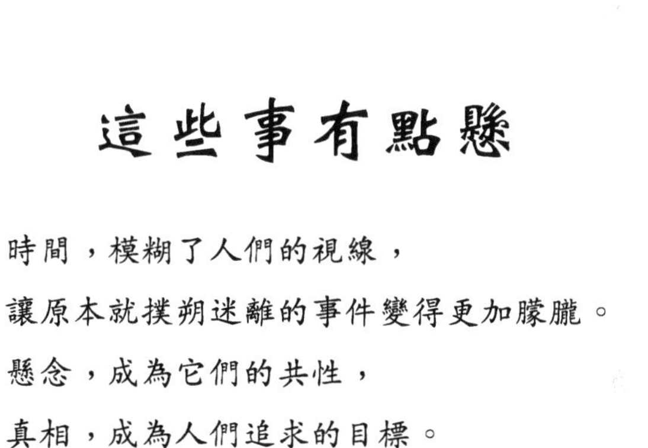

這些事有點懸

時間，模糊了人們的視線，

讓原本就撲朔迷離的事件變得更加朦朧。

懸念，成為它們的共性，

真相，成為人們追求的目標。

和氏璧之謎

相傳春秋時期，楚國人卞和看見一隻鳳凰棲落在一塊青石之上，便認為這塊青石是寶石，於是把它獻給了楚厲王。玉工辨認後，認為它只不過是一塊普通的石頭。厲王一怒之下，砍去了卞和的左腳。楚厲王死後，楚武王即位。卞和再次獻寶，玉工依然認為這只是塊普通石頭，因此卞和又被砍去了右腳。後來楚文王即位，命人把青石剖開，果然得到了稀世寶玉。楚文王為讚揚卞和獻寶的精神，便將這塊寶玉命名為「和氏璧」。

和氏璧命運之謎

西元前三三〇年左右，楚國丞相打仗有功，楚威王便把和氏璧賞賜給了他。有一天，丞相大宴賓客，拿出玉璧賞玩時，旁邊的深潭裡突然躍出各種魚兒。賓客們爭相觀看，混亂中，玉璧竟不知去向。後來，和氏璧輾轉到了趙國，歸趙惠王所有。秦昭襄王得知此消息後，派使者向趙王提出以城換璧，這才引出了「完璧歸趙」的故事。秦滅趙後，秦始皇將和氏璧製成一方玉璽，上刻「受命於天，既壽永昌」八個篆字，希望皇權能代代相傳。從此，玉璽就成為歷代皇帝權力的象徵。

然而不久後，秦朝就滅亡了。秦子嬰將玉璽獻給劉邦。劉邦稱其為「漢傳國璽」，將它隨身攜帶。西漢末年，王莽篡權，派弟弟王舜向小皇帝索要玉璽。太后氣得將玉璽摔在地上，從此玉璽便缺了一角，只好用黃金鑲補。東漢末年，玉璽一度失蹤。後來長沙太守孫堅攻入洛陽，發現一口井裡冒出紅光，便命人打撈，居然從撈出來的錦囊中找到了玉璽。

孫堅死後，玉璽被獻給曹操。之後又輾轉幾代，最後落入唐太宗之手。唐末，天下陷入五代十國的混亂局面，傳國玉璽從此失去蹤跡。儘管此後不斷有玉璽被發現的傳聞，卻始終得不到確證。

和氏璧身分之謎

和氏璧傳國玉璽代代相傳，前後持續達一千六百多年。那麼，這一為天下人爭奪不休的稀世奇珍究竟是什麼寶物呢？

傳統觀點認為和氏璧應是一種玉。因為「璧」在古文中的意思就是「平而圓、中間有孔的玉」。然而，史書上又稱它「側而視之色碧，正而視之色白」。由於一般的玉並不能變色，於是又有人認為和氏璧是一種名叫月光石的礦物。月光石的色澤類似珍珠，從不同的角度觀察可以看到不同的色澤。

但這依然不能證明和氏璧就是月光石。因為和氏璧被發現時是包裹在普通岩石之中的，即所謂的「璞」。而月光石則是裸露在岩石之外的一種天然晶體。而且，月光石也不會單獨生成。但自卞和發現和氏璧之後，就再沒有在該地區找到其他類似的寶石。

還有人說和氏璧是一種叫蛋白石的礦物，理由是其特徵與和氏璧有幾分相似。但這種說法也不能成立，因為楚地荊山一帶並沒有發現這種礦石的礦床。

和氏璧有如此傳奇的經歷，被寄託了如此多的野心和慾望，也許，這才是它被傳為天下至寶的根本原因。

屈原沉江之謎

屈原是戰國末期楚國偉大的愛國詩人，也是一位學識淵博、目光遠大的政治家。屈原在擔任三閭大夫和左徒期間，心繫蒼生社稷，力主改革朝政、聯齊抗秦。由於他的主張影響到楚國落後貴族勢力的利益，因此遭到上官大夫等人的妒忌、誣陷，最終導致楚懷王疏遠了他。後來，屈原遭到兩次流放，還被逐出郢都，儘管如此，他卻始終不忘自己的祖國，並希望楚懷王和後來執政的頃襄王能召回自己，為國效力。最後，楚國郢都被秦國將領白起攻破，屈原投汨羅江自

屈原像

盡，最後用生命譜寫了一曲千古悲歌。關於屈原自沉汨羅江的原因，歷來有諸多說法。

殉國說

清代學者王夫之在《楚辭通釋》中認為，屈原之所以寫下著名的詩章《哀郢》，是由於他哀嘆郢都的陷落，宗廟社稷成為荒丘廢墟，人民流離失所，楚國即將滅亡。據此，現代的屈賦研究者大都認為，因為秦軍攻破楚國都城，屈原不忍親眼目睹國家滅亡，故而投江殉國。現代學者郭沫若在《屈原考》中也寫道：「就在郢都被攻破的那一年，屈原寫了一篇《哀郢》……他看不過國破家亡，百姓顛沛流離的苦狀，才悲憤自殺的。」

殉道說

有現代學者認為，屈原自殺的原因無非有兩個：一是當時社會政治的黑暗；二是屈原性格剛直，無法做到隨波逐流。同時，屈原也是戰國時代應運而生的一位別具特色的「士」。他的人格魅力在於他堅持「人道自任」的理念和對自身的「內美」、「修能」的不可動搖的認知，他義無反顧地堅持自己的理想，所以寧為玉碎，不為瓦全。面對楚懷王、頃襄王這樣的昏君，其理想中的「明君」、「哲王」已不復存在，其抱負與志向也無法實現。加之一些小人的讒言，他憤懣不平，最後隻身赴死，以求得到精神上的圓滿。

屍 諫 說

持此說法的人認為，當時楚國「黨人」橫行，百姓看不到希望；朝中沒有忠良之臣，國家沒有守備外敵的力量，楚國將面臨亡國大禍。而滿懷救國大志的屈原卻遭讒言而被流放，報國無門的他沒辦法規勸楚王，絕望之餘，便決心以死來震醒昏君。屈原在《離騷》篇末有「吾將從彭咸之所居」的句子。彭咸是商朝有名的賢士，他曾忠心勸諫國君，卻遭到漠視，最後憤然投水而死。由此看來，屈原是向彭咸學習「屍諫」而投江自殺的。

潔 身 說

支持這種說法的學者認為，屈原為國君的昏庸而痛心，不願看著「黨人」亂政，葬送楚國錦綉河山。而他卻無法重返朝廷，實施理想「美政」，加上長期的放逐生活，使得他身心交瘁。為了保持清白高潔的操守，捍衛自己畢生所追求的理想，他終於帶著不盡的遺憾，憤然投身汨羅江中。淮南王劉安的《離騷傳》曾讚歎屈原不肯在濁世中苟活，故而「蟬蛻於濁穢」，獻出了自己的生命，所以屈原憤然自盡是因為理想破滅後的「絕望」。這樣的死，當然不是怯懦或逃避對祖國的責任，而是對現實有著清醒的認知，是屈原堅守氣節的最終追求。

由於以上幾種說法都缺少確實的證據，所以屈原為何沉江至今仍然是個未解之謎。

美女西施歸宿之謎

西施、貂蟬、王昭君和楊玉環並稱為中國古代四大美女，其中以西施居首。西施之所以能夠名見史冊，除了她的美麗外，還因為她在吳國和越國的爭鬥中有重要的作用——吳王夫差對她寵幸有加，因此放鬆了對越國的警惕，最終被越國打敗。吳國滅亡後，西施的結局究竟如何呢？對於這個問題，歷來有不同的說法。歸納起來，大體有四種版本。

沉　江　說

《墨子・親士》中有這樣的論述：「是故比干之殪，其抗也；孟賁之死，其勇也；西施之沉，其美也；吳起之裂，其事也。」由此推斷，越國復國後，立下大功的西施被越王裝進袋子沉到了江裡。《墨子》成書距西施所在的年代不遠，且書中所說的比干、孟賁之事均屬實，所以「西施之沉」或可信。

東漢時成書的《吳越春秋》也有記載：「吳亡後，越浮西施於江，令隨鴟夷以終。」鴟夷是皮革製成的口袋，所以有學者認為，西施最後是被裝入皮袋，隨江水而去。

歸隱西湖説

然而，在民間一直流傳著西施和范蠡偕隱西湖的説法。

范蠡當時是越國的大夫，幫助越王勾踐滅掉吳國後，深知勾踐「可以共患難，不可以共安樂」，於是隱姓埋名，與西施泛舟於西湖之上。唐代詩人杜牧在《杜秋娘詩》中有云：「西子下姑蘇，一舸逐鴟夷。」這裡的「鴟夷」就是指范蠡。因為《史記・越王勾踐世家》曾說，范蠡在吳國滅亡後，「浮海出齊，變姓名，自謂鴟夷子皮」。看來杜牧也認同西施與范蠡一同歸隱這一說法。但《史記・越王勾踐世家》與《史記・貨殖列傳》在提到范蠡時卻沒有提到西施，更沒提到她和范蠡有什麼關係。

落　水　説

也有人說，西施是意外淹死的。初唐詩人宋之問

《浣紗》詩中寫道：「一朝還舊都，靚妝尋若耶。鳥驚入松蘿，魚畏沉荷花。」從中可推測，吳亡後西施回到故鄉，不慎落水而死。

自　縊　說

這種傳說多見於一些話本和戲劇中所演繹的情節：西施雖助越國滅掉了吳國，可她卻覺得愧對吳王夫差，於是她在一種矛盾的心理中自縊於人去樓空的館娃宮。

西施到底魂歸何處，是沉江而死還是歸隱西湖，是落水而亡還是自縊而亡，至今仍是千古之謎。

秦始皇焚書坑儒之謎

秦始皇統一六國後，為了加強中央集權，採取了一系列的政策，其中就包括「焚書坑儒」。

秦始皇下令「焚書」是比較好理解的，因為六國統一之初，儒生們受戰國時期百家爭鳴的學術氛圍的影響，尚保留著敢於直言、相互爭鳴的傳統。於是，為了鉗制人們的思想，秦始皇便採用了李斯「焚書」的建議，下令除了秦記(秦國史書)、醫藥書、卜筮之冊、農書以及國家博士所藏《詩》、《書》、百家語以外，凡列國史籍、私人所藏的儒家作品、諸子百家著作和其他典籍，統統按時交官焚毀，違者處以黥刑乃至死罪。焚書之後，百姓如想學法令，可拜官吏為師。由此可以判斷，「焚書」的確是史實。

那麼，「坑儒」又是怎麼一回事呢？

秦始皇稱帝後，迷戀仙道，為了求得長生不老之藥，他不惜重金，先後派徐福、韓終、侯公、石生等一批講神仙方術的方士前去尋求。然而，這個世界上怎麼可能會有長生不老之藥呢？由於尋求長生之法未果，秦始皇變得越來越乖戾、暴躁、喜怒無常。一些方士由懼生怨，有兩個分別叫做盧生和侯生的方士，就曾偷偷譏議秦始皇「天性剛戾自用」、「專任獄吏，獄吏得親幸」。秦始皇得知此事後，一怒之下下了一道命令，叫御史大夫去查辦那些在背後誹謗他的方士。方士們為保全自己的性命，只得相互告發。最後，秦始皇把涉及此事的四百六十餘人，都在咸陽挖坑活埋。至於儒生，雖然也有被坑殺者，但為數不多。因此，當時至漢初的儒家學者對這一事件都不甚介意，極少有言及者。直至西漢中期，人們對此事才有所注意，稱之為「坑殺術士」。

有些人卻認為「坑儒」是確實發生過的事情，而且秦始皇好像還不只一次坑儒。如東漢的衛宏就在《詔定古文尚書序》一書中說：「為伏機，諸生賢儒皆至焉，方相難不決，因發機，從上填之以土，皆壓，終乃無聲。」

然而，衛宏的記錄究竟是道聽途說還是有歷史依據，人們也無法考證。退一步說，如果秦始皇真的坑殺了儒生，那麼為什麼《史記》中沒有記載此事呢？

秦始皇究竟有沒有坑殺儒生呢？目前學術界仍沒有一個統一的意見。

相關連結

徐福東渡

秦始皇統一六國後，希望自己長生不死，自己的基業萬年永存。於是，他派出五百童男童女隨方士徐福出海東渡，去幫自己求取仙藥，然而徐福卻一去不復返。《史記．秦始皇本紀》中對於徐福東渡的事情也有記載，但書中並沒有講明徐福到了何處。至於徐福東渡究竟去了哪裡，各種說法不一：有人認為徐福最終到了日本，有人認為徐福到了美洲，也有人認為徐福東渡只是個傳說而已。

「天下第一宮」之謎

阿房宮興建於秦始皇時期，有著「天下第一宮」的美譽。但是，這座氣勢恢弘的宮殿還沒來得及讓人們看清它的全貌，就消失了。那麼，阿房宮的廬山真面目究竟是怎樣的？

規模空前的阿房宮

據《史記·秦始皇本紀》記載，阿房宮前殿「東西五百步，南北五十丈，上可以坐萬人」。秦制六尺為一步，相當於一·三八公尺。如此計算，阿房宮的前殿東西寬六百九十公尺，南北長一百一十五公尺，佔地面積八萬平方公尺，容納萬人自然綽綽有餘了。殿前矗立十一·五公尺高的旗杆，宮前立有十二尊銅人。以磁石為門，有懷刃隱甲的人入宮，即被吸住。周圍建閣道以連通各宮室，其閣道又依地勢上達南山(今陝西西安市南)。

唐代詩人杜牧在他的《阿房宮賦》中用無比華美的

語言描寫了阿房宮的勝景：阿房宮佔地三百多里，樓閣高聳，遮天蔽日。從驪山之北構築宮殿，曲折地向西延伸，一直修到秦京咸陽。渭水和樊川兩條河，水波蕩漾地流入宮牆。五步一棟樓，十步一座閣。走廊寬而曲折，突起的屋檐像鳥嘴向上撅起。樓閣依地勢的高下而建，像是互相環抱；宮室高低屋角，像鈎一樣聯結；飛檐彼此相向，又像在爭鬥。盤旋地、曲折地，密接如蜂房，回旋如水渦，矗立著不知它們有幾千萬座……

作為文學作品，《阿房宮賦》肯定有不少誇張、想像的成分，但人們仍不禁會問：在阿房宮身上又發生了什麼事，導致它「紅顏薄命」的結局？

魯莽項羽　火燒阿房

由於《史記・項羽本紀》中提到過項羽「燒秦宮室，火三月不滅」，杜牧在《阿房宮賦》中也寫道：「戍卒叫，函谷舉，楚人一炬，可憐焦土！」於是有人認定是楚霸王項羽率領軍隊入關以後，燒殺搶掠，順便也在阿房宮及其附屬建築裡放了一把火，使其化為了灰燼。更有甚者，說項羽深愛的虞姬曾被秦軍俘虜，於是他為了洩憤，便在入關後，將阿房宮給燒掉了，以至於大火三月不熄。

然而，《史記·項羽本紀》中雖然提到項羽「火燒秦宮」，卻沒有具體提到是哪座宮殿。杜牧的《阿房宮賦》是文學作品，更不足為據。

那麼，項羽究竟是火燒阿房宮的罪人還是平白背負千年罪名的無辜之人呢？

真相大白

如果項羽真的火燒阿房宮三個月，那麼阿房宮遺址中的紅燒土應該遍地都是，而且還應該有大量的草木灰。為了找到證據，在二〇〇六年，考古隊以每平方公尺五個探洞密集地探查阿房宮遺址，結果除了發現土夯之外，沒有發現其他物質。因為怕有疏忽，考古隊員還專門把土質樣本送到一名專家那裡，用顯微鏡檢測，但依舊沒有發現因焚燒而產生的碳化物。

值得一提的是，考古隊員在咸陽宮的遺址上發現了被焚燒的痕跡。於是，專家推斷，《史記·項羽本紀》中記載的「燒秦宮室」應該是指火燒咸陽宮，而非阿房宮。

根據史料記載，秦始皇在世的時候，阿房宮只建成了前殿。秦二世即位後繼續修建，但只完成了一半工程，秦朝就滅亡了。後來，阿房宮變成了「爛尾樓」。到了漢代，阿房宮便被改成了上林苑宮殿建築。漢代以後，它多被用作駐軍場所。宋代以後，它便被改成了農田。

原來，「天下第一宮」從未完工過，而杜牧在《阿房宮賦》裡描述的阿房宮，也只是詩人幻想出來的產物而已。

相關連結

「西楚霸王」項羽

「西楚霸王」項羽是秦末著名的將領。他力大無窮，有遠大的志向，但殺氣太盛，攻城略地之後常下令屠城。後與劉邦爭奪天下，被困垓下，最後退至烏江，自刎而亡。

唐武宗滅佛之謎

會昌五年(八四五年)七月，唐武宗下令滅佛。他先下詔拆毀了在山野中的寺院，隨後又下詔：長安、洛陽兩街各留二寺，每寺留僧三十人；全國節度使、觀察使下的鎮地和同、華、商、汝各州留一寺，上等寺留僧二十人，中等寺留僧十人，下等寺留僧五人，其餘被淘汰寺院的僧人全部勒令還俗。此外，他還派遣御史前去被淘汰的寺院之中，督令其限期拆毀，而寺院的財產則全部收歸官府所有，拆下的木材用來建造官署，銅像鐘磬等物品都用來鑄錢。

佛教在唐武宗時一度遭到毀滅性打壓

至這年八月，武宗宣布全國共拆毀寺院四千六百餘所，還俗僧尼二十六萬多人，山野中的小寺廟拆去四萬餘所，收得良田數千頃，寺院奴婢十五萬人。唐武宗原本也是信奉佛教的，但即位數年後卻下令滅佛，這到底是怎麼一回事呢？

宗教矛盾說

有人認為，武宗之所以下令滅佛，主要是與當時的宗教鬥爭有關。佛教傳入中國後，一方面和儒家思想常有衝突，另一方面和土生土長的道教也矛盾重重。為爭取最高統治者的青睞，佛、道兩家常常進行激烈的辯論，兩教的地位也常發生變化。因此，他們認為道教和佛教之間有著嚴重的矛盾，正是道士在武宗面前攻擊佛教，才促成了武宗滅佛一事。

經濟矛盾說

另一種說法則認為，滅佛事件是朝廷與佛教之間的經濟矛盾所致的。在武宗對全國發布的《拆寺制》中，列舉了佛教的一系列罪狀，其中最主要的是「蠹耗國風，誘惑人意」，「勞人力於土木之功，奪人利於金寶之飾」。他認為「寺宇招提，莫知紀極，皆雲構藻飾，僭擬宮居」，使得「物力凋瘵，風俗澆詐」。因此，武宗滅佛的主要目的是「懲千古之蠹源」，以「濟人利眾」。

查殺宣宗說

唐武宗滅佛後，對道教極度崇信，曾舉行長達一百多天的道場，連續五個月修建宏偉壯麗的仙臺，厚賜道士。從經濟角度看，唐武宗對佛教有清醒的認識，那麼他為什麼又馬上沉溺於道教了呢？一種比較新穎的觀點認為，唐武宗滅佛的根本原因是他與唐宣宗之間的權力鬥爭。宣宗是武宗的叔叔，傳說他為了躲避武宗的迫害，從宮中逃出之後，便隱身於佛門之中。而武宗滅佛，其實是為了查殺宣宗。這種說法提出後，也遭到了一些人的反駁。他們認為宣宗隱身於佛門之說，其實是無稽之談。而武宗在未做皇帝之時，就開始信奉道教。他曾在唐文宗開成五年(八四〇年)秋天召趙歸真等八十一人入禁中修道場，這也說明他並不是在會昌五年才突然改變對佛教的態度的。

促使唐武宗滅佛的根本原因，至今仍是一個有待於人們進一步探索的謎。

唐武宗生平

唐武宗即李炎，八四〇年 至八四六年在位。本名瀍，臨死前改名炎。唐穆宗第五子，唐文宗的弟弟。

唐武宗身材高大，性情豪爽，他讀書雖然不如唐文宗，但是他更能知人善任，而且少了一些書生的意氣和迂腐。他任用李德裕為相，非常信任和重用他，有時甚至能夠向他當面認錯，使得他們君臣在國家內憂外患之時，能夠沉著應付，共同度過難關。

宋太祖猝死之謎

北宋開寶九年(九七六年)十月十九日的夜晚，宋代開國之君宋太祖趙匡胤召見自己的弟弟——時任開封府尹的晉王趙光義入宮。

趙光義入宮後，太祖屏退左右，與他酌酒對飲，商議國家大事。然而，就在那夜凌晨，太祖突然駕崩了。二十一日，趙光義繼位，他就是宋太宗。

太祖猝死，按理說應由太祖之子繼位，由其弟趙光義繼位實在不合情理。於是，這對兄弟的權利交接便成了歷史上一宗離奇的懸案。

「斧聲燭影」

據《湘山野錄》中記述，十九日那晚，趙光義入宮後，室外的宮女和宦官遠遠地看到在燭影搖晃中，趙光義時而離席，時而擺手後退，似在躲避和謝絕什麼；又見太祖手持玉斧戳地，「嚓嚓」的斧聲清晰可聞。與此同時，這些宮女和宦官還聽到宋太祖大喊：「好為之，好為之！」兩人飲酒至深夜，趙光義便告辭出來，太祖則解衣就寢。然而，到了凌晨，太祖就駕崩了。

趙匡胤臨終之時，只有趙光義一人在場，「斧聲燭影」不能不讓人們對趙匡胤的死因產生懷疑，進而對趙光義後來繼承皇位的合法性產生懷疑。

「金匱之盟」

還有一種說法是，趙匡胤與趙光義兩兄弟的生母杜太后在病危前，曾把趙匡胤和丞相趙普叫到床前，留下一份匪夷所思的「遺囑」，即「金匱之盟」。

杜太后認為，趙宋之所以能獲取後周的江山，就是因為當時後周在位的是一個「兒皇帝」。如果後周當時是一位壯年英武的君主當政，絕不會出現「陳橋兵變」。為了不讓這種慘痛的歷史重演，太后令趙匡胤必須選擇一位「長君」做接班人。趙匡胤痛痛快快地答應了，並命趙普記錄下來，後將文件珍藏在黃金寶櫃裡。司馬光在《涑水紀聞》中對此事也有記載。

然而，杜太后去世時，宋太祖只有三十五歲，其弟趙光義二十三歲，太祖長子、三子早夭，次子德昭十一歲，四子德芳三歲。也就是說，假如太祖晚幾年去世，就不會出現幼主接班、群龍無首的局面。而「金匱之盟」是趙光義登基五年後，由趙普密奏此事，而後才公布出來的。因此人們不禁要問，為什麼趙光義不在趙匡胤死時，堂堂正正地將「金匱之盟」公布出來呢？

弒兄篡位

據《燼餘錄》中記載，趙光義對趙匡胤的妃子花蕊夫人垂涎已久，那夜趁趙匡胤病中昏睡不醒時，於半夜調戲花蕊夫人。哪知趙匡胤被驚醒了，拿起玉斧就要砍他，但力不從心，讓趙光義躲了過去。於是趙光義一不做，二不休，殺了趙匡胤，逃回府中。

千百年來，人們運用各種史料從不同角度來考證此事，試圖解開這個謎。在今天的學者看來，「斧聲燭影」之說純屬杜撰；「金匱之盟」經考證，也被認為是宋太宗與趙普共同偽造的；「弒兄」之說也只是一家之言。

那麼，宋太祖一夜猝死的原因究竟是什麼呢？還需要更多的史料去加以確證。

杯酒釋兵權

宋太祖登基後，為了加強統治，便將石守信等幾位老將請到宮裡喝酒。酒過三巡，宋太祖說道：「朕自從登基以來，就沒睡過一個安穩覺，還不如當臣子時過得安樂。」

石守信等人說：「陛下何以如此？微臣願聞其詳！」宋太祖說道：「人人覬覦皇帝的位置，今天朕能稱孤道寡，明天就有人想取代朕。」

石守信等人聽了這番話，嚇得磕頭不止，哭泣著說：「臣等愚昧，早該想到這些。請陛下指點。」

於是宋太祖便勸說他們交出兵權，到地方上去做個閑官，買點田產房屋，給子孫留點家業。第二天一上朝，幾位老將每人都遞上一份奏章，請求辭官。宋太祖馬上欣然同意，並賞給他們一大筆財物。歷史上把這件事稱為「杯酒釋兵權」。

「狸貓換太子」之謎

據說，宋真宗的第一個皇后死後，后宮的李宸妃和劉德妃先後懷孕了。很顯然，誰先生了兒子，誰就有可能被冊立為正宮娘娘。結果李宸妃先生下皇子，於是劉德妃與宮中總管郭槐定計，用一隻被剝了皮的狸貓換走了李宸妃剛出世的小皇子。為絕後患，劉德妃又命宮女寇珠勒死皇子。寇珠於心不忍，暗中將孩子交給宦官陳林，陳林將孩子裝在提盒中送至南清宮八賢王處撫養。後來，宋真宗看到那隻狸貓，以為李宸妃產下妖物，便將其貶入了冷宮。

不久，劉德妃生下一子。真宗大喜，立刻封其為太子。劉德妃母憑子貴，也被冊立為皇后。誰知六年後，劉后之子病夭。這時劉后得知李宸妃的兒子沒死，就將他收來撫養，又在真宗面前屢進讒言，最終說服真宗將李宸妃賜死。李宸妃在太監的幫助下逃出皇宮，來到陳州，流落破窰，乞食為生。幸虧包拯得知真情，將李宸妃帶回開封府。此時，李宸妃的兒子已做了皇帝，即宋仁宗。在包拯的幫助下，李宸妃最終與自己的親生兒子見面相認。此時，已做了太后的劉氏知道陰謀敗露，驚厥而死。

這則「狸貓換太子」的故事，幾乎家喻戶曉、婦孺皆知。然而，歷史上是否真的有過「狸貓換太子」之事呢？《宋史》為我們提供了另一種說法：

李宸妃確有其人。她本是劉德妃的侍女，生得花容月貌。懷上龍子時，劉德妃已被立為皇后。於是，劉德妃請皇帝把李宸妃生下的兒子趙禎立為己子。她把孩子從李宸妃懷裡奪走，交給楊淑妃撫育，這樣便活活割斷了李宸妃母子的聯繫。

後來，宋真宗去世，十一歲的趙禎繼位，即宋仁宗，而此時劉皇后便成了劉太后。天聖九年(一〇三一年)，李宸妃病危，次年便去世了。劉太后想：現在仁宗並不知道自己的生母是李宸妃，一旦將來自己死去，仁宗得知了實情，痛感自己生母在生前死後都沒有得到應有的待遇，一定會怨恨自己，肯定還會遷怒於我劉氏後裔。於是，她吩咐以一品之禮安葬李宸妃。

當時的宰相呂夷簡又向劉太后進言，給李宸妃穿上皇后裝盛殮，並使用水銀寶棺。劉太后也一一依允。

一〇三三年，劉太后死後，宋仁宗才知道自己的生母是誰。他無比悲痛、憤怒，於是他下令包圍了劉太后娘家的府第。結果，還是宰相呂夷簡的一番話使仁宗冷靜下來。呂夷簡說：「太后雖有不義之事，但以皇后禮儀厚葬李宸妃，表明她已有自悔之心；劉、楊雖非生母，但對陛下仍有撫育之情，不可或忘。」

後來，宋仁宗還是決定重葬生母。開棺後，他發現生母並沒有被鴆殺、殘害或者虐待的跡象，這才下令解除對劉姓戚屬的包圍。之後，宋仁宗追尊李宸妃為皇太后，謚章懿，親臨殯儀之所祭告。

為了彌補對生母的愧疚之情，宋仁宗把李太后的弟弟李用和一再擢陞，並把福康公主下嫁給李用和的兒子李瑋。

但是，《宋史》所記載的是否就是事實呢？這就有待學者們進一步的考究了。

岳飛被殺之謎

岳飛是南宋著名的愛國將領。他率領宋軍抵抗金軍，贏得了百姓的稱頌。然而，在宋金紹興和議訂立後不久，即一一四二年一月二十七日，岳飛就被賜死在大理寺。這是什麼原因呢？謀害岳飛的罪魁禍首又是誰呢？

宰相秦檜

大多數人認為，是大奸臣秦檜以「莫須有」的罪名陷害了岳飛，他就是謀害岳飛的元兇。現在在杭州棲霞嶺的岳飛墓前，還有秦檜夫妻反剪雙手面墓而跪的塑像。

據考證，秦檜在北宋都城汴京失守後被金兵擄到北方，很快便成了完顏昌的親信。一一三〇年十月，秦檜神祕地回到了南宋。秦檜還宋，是金國貴族會議決定的，目的是要他促成「議和」。身為南宋宰相的秦檜，實質上是女真皇族派到南宋中央政權的代理人。他要執行降金政策，抗戰派和那些擁兵自重的將領自然是其最大的障礙。岳飛的兵力最強，戰功最大，主戰意識最堅決，自然就成了秦檜謀害的首選對象。

秦檜夫婦跪像

宋高宗趙構

但不少史學家認為，宋高宗才是殺害岳飛的真正元兇。在《宋史》中曾經提到：岳飛被賜死，岳飛的兒子岳雲及部下張憲在鬧市被誅殺。這裡所說的「賜死」，以一般的理解來看，就是宋高宗下旨要岳飛死的意思。一些史籍，如李心傳的《建炎以來朝野雜記》《建炎以來繫年要錄》等，也證實宋高宗才是岳飛冤獄的主謀和決策者。至於宋高宗殺害岳飛的動機，主要有以下幾點：

其一，岳飛權勢過重，威脅到高宗的統治。岳飛出身武將，威名赫赫，這觸犯了宋朝的皇家大忌。因為宋朝從開國伊始，就主張文治，防止武官掌握大權。可是，岳飛馳騁疆場十多年，讓金兵聞風喪膽，民間更流傳著「撼山易，撼岳家軍難」的話，這說明他的聲望已經超過了宋高宗。因此，宋高宗自然就擔心岳飛會威脅到他的政權了。

其二，岳飛積極抗金的目的是「迎回徽、欽二帝」。如果二帝回朝，宋高宗必然要歸政於欽宗。這嚴重威脅到宋高宗的利益，最終令他對岳飛痛下殺手。

其三，金國大將兀朮把殺害岳飛作為議和的條件，這是迫使宋高宗殺害岳飛的直接原因。如果高宗僅僅疑忌岳飛掌握兵權，對岳飛反對議和不滿，他盡可以把岳飛罷官閑廢。一一四一年，在宋金議和的過程中，兀朮通過使臣告訴高宗、秦檜：「爾朝夕以和請，而岳飛方為河北圖，且殺吾婿，不可以不報。必殺岳飛，而後和可成也。」據參與陰謀的王次翁透露，當年春，高宗就有「誅飛意」。四月，罷岳飛、韓世忠、張俊三員大將的兵權，為投降賣國鋪平道路。按照秦檜預謀，先由張俊、岳飛害韓世忠，再用張俊害岳飛。而岳飛卻表示絕不參與謀害韓世忠的陰謀，並立即派人給韓世忠報信，秦檜的圖謀沒有得逞。新仇舊恨使秦檜決定先對岳飛下手。而高宗急於向兀朮表示投降求和的誠意，在殺害岳飛這一件事上，與秦檜一拍即合，所以製造了這一冤案。

其四，岳飛的個人作風也可能是他被殺的原因之一。宋高宗紹興七年(一一三七年)，岳飛曾奏請立儲之事，高宗將岳飛此舉視為越軌行為。封建社會的倫理綱常是相當嚴格的，稍有不慎，便會招來殺身之禍。岳飛作為大將竟干預朝廷的立儲大事，這自然是犯了皇家大忌。

那麼，殺死岳飛的元兇究竟是誰呢？這件歷史懸案還有待進一步考證。

建文帝生死之謎

朱元璋建立明朝後，立長子朱標為太子。但朱標早亡，朱元璋遂立長孫朱允炆為皇太孫，打算將來由他繼承皇位。後來朱允炆登基，即建文帝。由於建文帝一直生活在幾位皇叔的威脅下，他便採納齊泰、方孝孺等人的建議，厲行削藩，從而激起了四叔朱棣的反抗。朱允炆在位僅三年，便被朱棣篡奪了皇位。

據《太宗實錄》記載，在朱棣以「清君側」為名，帶兵進入金川門後，建文帝選擇了與皇后一起閉宮自焚。朱棣來到時，看到宮中火起，急忙命人前來搶救，可惜已經來不及了。最後，只從灰燼中找到一具被燒焦的男屍，根本就沒有辦法辨認那是否就是建文帝。但朱棣還是假意痛哭不已，說自己只是前來幫助皇帝剪除奸臣的，怎知建文帝就自尋死路了呢！事後，朱棣禮葬建文帝，遣官致祭，輟朝三日。

在十三陵中，仁宗御製碑記載著朱棣禮葬建文帝的文字，但對其究竟葬於何處卻避而不談。崇禎年間，有人上書，請將建文帝祀於太祖孝陵或其父朱標墓側，崇禎帝答曰：「建文無陵，從何處祭？」

朱棣見到的那具面目全非的焦屍真的是建文帝嗎？人們對此提出了疑問：首先，《太宗實錄》本身的可靠性有待考究。朱棣為了美化自己的篡位行為，曾三次修改《太宗實錄》，所以對於其所記載的建文帝自焚一事，也有待考證。其次，被燒焦的屍體已面目全非，無法確定那就是建文帝。

如果建文帝還活著，那麼他又去了哪裡呢？

明代中後期，就有人提出了建文帝「出逃為僧」一說。另外，萬曆二年(一五七四年)十月，十二歲的神宗向首輔張居正問及建文帝下落一事，張居正回答：「國史不載此事，但先朝故老相傳，言建文皇帝當靖難師入城，即削髮披緇，從間道走出，後雲遊四方，人無知者。」可見，張居正也同意建文帝「出逃為僧」的說法。

以上這些說法都只是屬於猜測，建文帝當年到底是生是死，至今仍沒有足夠的證據來證明。

清　君　側

清君側指清除國君身旁的亂臣賊子。該詞最早見於《公羊傳・定公十三年》：「此逐君側之惡人。」清君側本應是正義之舉，但後來卻常被政變起事者拿來當做理由，以強調其反叛行為的正當性。

明朝時北京大爆炸之謎

明朝熹宗天啟六年五月初六(一六二六年五月三十日)清晨，天空晴朗，都城北京的人們像往常一樣在街上行走，沒覺得有任何異樣，更沒有人會料到一場驚天動地的大災難即將襲來。

上午九點左右，忽然轟雷炸響，震撼天地。只見從北京東北漸至西南角，湧起團團黑雲。不一會兒，位於北京西南方的王恭廠一帶響起一聲巨響，頓時天崩地裂。

這場奇異的大爆炸使得人畜、樹木、磚石突然被捲上天空，或被炸得粉碎，或被炸飛到數百千公里之外。據史料記載，其爆炸威力之大，乃至炸飛的「大木遠落密雲」；石駙馬大街上有一個二千五百千克重的大石獅竟被擲出順成門(今宣武門)外！其後，「木、石、人復自天雨而下，屋以千數，人以百數」，衣物、銀錢、器皿更是飄至昌平的閱武場中，有的甚至散落到西山上和東北郊去了。災後，「所傷男婦俱赤體，寸絲不掛，不知何故」。

這場大爆炸之慘烈與詭異真是世上罕見，以致許多大臣都以為這是上天對當時的統治者明熹宗的警告。所以，大臣們紛紛上疏，要求熹宗興利去弊，重振朝綱。熹宗一看群情激憤，自己也非常害怕，於是不得不下了一道「罪己詔」，表示要「痛加省修」，並告誡群臣「務要竭慮洗心辦事，痛加反省」。

然而，引起這次大爆炸的真正原因是什麼呢？如今有許多專家學者對其進行了研究和探討。結論大致有以下幾種：

一是火藥爆炸。理由是這次事件正好發生在王恭廠火藥庫附近。但火藥廠只有幾百噸炸藥，其爆炸威力不可能如此巨大。而且，明末還發生過多次火藥爆炸事件，但都沒有引起如此巨大的災難。

二是地震作用。當時北京確有地震發生，但這卻無法解釋「裸屍」現象。

三是颶風作用。颶風的確可以將許多物體席捲上天，但是這又無法解釋當時與爆炸同時發生的地震、火球、雷聲等現象。

四是隕石降落。因為災變前「天外有聲如吼」，

「但見颸風一道，內有火光」，爆炸後留下的陷坑也非常像是隕石衝擊所導致。當時中國的天文學是比較發達的，但是並沒有資料記載當時有隕石降落，而且至今也沒有在北京城內發現有隕石。此外，陷坑的大小以及爆炸的破壞程度也與隕石衝擊不相匹配。因此說大爆炸是隕石降落所致，也難以令人信服。

五是地球內部熱核的高能強爆。此說認為是地下天然的核爆炸引起地震，又引起火藥爆炸。但這種說法仍然無法解釋「裸屍」現象。

颸風的威力無窮

看來，要徹底解開明朝時北京大爆炸之謎，還有待於科學工作者的深入研究和探索。

木匠皇帝——明熹宗

明熹宗朱由校是明朝倒數第二任皇帝。明熹宗時，外有後金兵侵擾，內有明末起義，正是國難當頭、內憂外患的時期。明熹宗卻不務正業，不聽先賢教誨，而對木匠活有著濃厚的興趣，整天與斧子、鋸子、刨子打交道，只知道製作木器、蓋小宮殿，將國家大事拋在腦後，成了名副其實的「木匠皇帝」。

明熹宗也的確有木匠天分，凡是他看過的木器用具、亭臺樓榭，都能夠照樣子做出來。據說，明熹宗見當時的床非常笨重，便親自設計圖樣，花了一年多的工夫，製造出一張床板可以折疊的輕便的床。

明熹宗不僅不顧國家大事，而且也不顧自己的孩子。他有三男二女，卻無一長成。由於沒有子嗣，因此在其死後便由其五弟信王朱由檢即位，即後來的崇禎皇帝。

孝莊皇后下嫁之謎

清朝歷史上有一位舉足輕重的女性，她就是孝莊皇后，也就是順治帝的母親博爾濟吉特・布木布泰。布木布泰本是蒙古科爾沁部貝勒博爾濟吉特・寨桑的女兒，她十三歲時就被作為政治聯姻的關係，嫁給了努爾哈赤第八子——三十四歲的皇太極。

孝莊皇后貌美聰慧、性格堅毅，她先後輔佐了清太宗皇太極、清世祖順治和清聖祖康熙三位皇帝，參與了入關、定都、滅明這三件大事，對清朝的建立與鞏固，起到了不可估量的作用。為了輔佐自己的兒子和孫子，為了清朝，她犧牲了很多。

有人說，清朝初期，清廷內部明爭暗鬥，政局動蕩不安，為了替自己的兒子福臨(即順治帝)爭取皇位，孝莊皇后必須得到睿親王多爾袞的支持，於是她就「下嫁」了多爾袞。這種說法是否屬實呢？

支持「下嫁」一說的人認為，孝莊皇后下嫁給小叔子多爾袞，是符合滿族傳統的。因為滿族入關前還保留著「兄死則妻其嫂」的遺俗。而且，孝莊皇后既然要為自己的兒子福臨謀皇位，那麼她用聯姻來擴大自己的勢力，也是符合情理的。一些頗具歷史價值的史書也確切記載了這件事。清人蔣良騏在《東華錄》中記載說，多爾袞「自稱皇父攝政王，又來到皇宮內院」。假如太后沒有嫁給他，那麼他經常出入皇家內院，以皇父的身分對待順治帝，恐怕是皇室宗親所不能答應的。而且，多爾袞死後，清廷還破格追封他為「誠敬義皇帝」。

但也有人反對「下嫁」一說，理由如下：

一、如果孝莊皇后真的下嫁多爾袞，那麼她就是王妃了，為什麼別人仍稱呼她為「皇太后」呢？

二、滿族舊俗直呼尊者為「父」，如多爾袞曾獲封「皇叔父攝政王」，滿文應直譯為「汗(君)的叔父」。因此，「自稱皇父」並不表明多爾袞就為順治帝的皇父。

三、當時朝鮮的《李朝實錄》中記錄了清朝的許多事情，然而對於太后下嫁這一大事卻沒有記載，這是不符合常理的。

「孝莊皇后下嫁」是否確有其事，目前仍未找到確鑿無疑的資料來作出定論。

順治帝神祕失蹤之謎

清太宗崇德八年(一六四三年)八月，皇太極駕崩。經過一番波折後，皇太極的第九子——六歲的福臨在叔父睿親王多爾袞的輔佐下繼承帝位，改元順治，並於順治元年(一六四四年)九月從瀋陽進京，在太和門舉行了登基大典，成為清軍入關後的第一位皇帝。順治帝身邊有衆多嬪妃，但是最討他歡心的卻只有董鄂妃一人。順治十七年(一六六〇年)八月十九日，董鄂妃病逝，這件事使得順治帝的精神陷入崩潰狀態，繼而沉溺於悲傷中不能自拔。他親自撰寫了四千五百字的《董妃行狀》，又命大臣為她作傳，破例追謚她為皇后，最後還讓三十名太監和宮女為她殉葬，但這一切都不能彌補他的感情創傷。其後不到半年，順治帝就從清宮中神祕地失蹤了。隨後，順治帝的第三子愛新覺羅·玄燁即皇帝位。關於順治帝神祕失蹤之謎，流傳兩種說法。

五台山出家

傳說董鄂妃過世半年後，順治帝看破紅塵，並於第二年正月遁入山西五台山，削髮為僧。

《清史演義》載：「宮中有位董鄂妃，乃是南中漢人，被虜北去，沒入宮中。順治帝見她身材窈窕，秀外慧中，竟格外寵幸，封為貴妃。後來，董鄂妃去世，順治帝十分悲痛，輟朝五日……順治帝經此慘事，亦看破世情，遂於次年正月，脫離塵世，只留重詔一紙，傳出宮中。」此外，《清稗類鈔》《清代野史大觀》等書中都有關於順治帝因董鄂妃去世而削髮出家的故事。從此，順治帝出家的傳聞遂廣泛流傳開來。據說，後來康熙帝曾四次去五台山看他父親順治帝。第四次前往五台山時，順治已亡，康熙還作詩哀悼。

又有傳說，庚子之變時，慈禧太后西逃，經過晉北，地方上無法準備供御器具，卻在五台山上找到了內廷器物。於是，順治出家之說便有了更充分的證據。

患病身亡

另一種觀點認為，順治帝並沒有出家，而是患病身亡。據王熙《王文清集・自撰年譜》載：「奉召入養心殿，諭：朕患痘勢將不起。」王熙是順治年間進士，後在康熙年間官至保和殿大學士，並奉命專管密本。因此，他的記述有一定的可靠性。明清史專家孟森經過詳細考證也認為，順治帝並沒有出家，而是死於痘疹。但他沒有對康熙帝為什麼四次去五台山，五台山為什麼會存有這麼多供御器具，還有順治生痘疹為什麼會在短短幾天內就去世等問題作出解釋。

時至今日，順治帝到底是出家還是病死宮中，仍無定論。

「鐵達尼號」沉沒之謎

一九一二年四月十日，耗資七千五百萬英鎊，當時世界上最大最豪華的「夢幻之船」——「鐵達尼號」載著二千二百零八名乘客和船員，從英國的南安普敦出發，開始了它的處女航，目的地是紐約。四月十四日深夜二十三點四十分左右，一直一帆風順的「鐵達尼號」在北大西洋突然撞上了冰山，四月十五日凌晨二點二十分，這艘號稱「永不沉沒的船」以及船上約三分之二的人沉入了冰冷的大西洋底。近一個世紀以來，人們對這場二十世紀「十大災難」之一的海難仍然記憶猶新。

木乃伊詛咒說

「鐵達尼號」的沉沒，舉世震驚。按照它兩層船底、十六個水密隔艙的設計，當時的人們完全想像不出它在什麼情況下會沉沒。因為即使其中任意兩個隔艙灌滿了水，它仍然能夠行駛，甚至任意四個隔艙灌滿了水，它也可以保持漂浮的狀態。

事後，有學者經過計算後認為，以它的結構，就算是撞上了冰山，也不至於沉沒。於是，關於「鐵達尼號」沉沒的原因又出現了很多猜測，有人甚至聯想到了木乃伊的詛咒。

原來，在一九〇〇年左右，考古學者在埃及古墓中發掘出了一具石棺，石棺上刻著這樣的咒語：「凡是碰到這具石棺的人，都會遭難。」然而，考古學者並不相信世界上真的有什麼咒語，便打開了石棺，裡面是一具已有數千年歷史的木乃伊。隨後，石棺被運到了英國，放在大英博物館中展覽。不久後，一位參與考古的人員莫名其妙地猝死，後來接連又有幾位參與發掘石棺的考古學家相繼去世。

雖然詛咒之說有點聳人聽聞，但與石棺接觸過的人相繼離世，使博物館最終決定將石棺轉移到一個不為人知的地方。十年之後，一位對此深感興趣的美國實業家買下了這具石棺和木乃伊。這時，正逢「鐵達尼號」的處女航，他便把石棺和木乃伊委託給「鐵達尼號」運送。

災難發生後，人們便認為是木乃伊的咒語導致了「鐵達尼號」的沉沒，更有傳聞說，石棺上的咒語還有未被人們注意到的最後一句，那就是：「將被海水吞沒。」

遭遇 UFO 説

一九八五年，海洋勘察人員在大西洋底終於發現了已沉睡七十三年的「鐵達尼號」船頭部分的殘骸。在對殘骸進行勘察的時候，人們驚奇地發現，在右舷的前下部有一個直徑恰好是九十釐米的大圓洞。圓洞的邊緣光滑而平整，好像是被某種工具切割出來的。這個奇怪的圓洞讓人百思不得其解。難道「鐵達尼號」的沉沒還有其他不為人知的原因嗎？為此，國際專家組和美國皇家海軍艦艇專家一起對這個神祕圓洞進行了一系列的研究後，排除了冰山撞擊的原因，而且他們並沒有在船身的其他位置發現明顯的撞擊冰山留下的痕跡。於是他們最終確認「鐵達尼號」的沉沒是由於船體先被一種功率超強的激光束擊穿，導致底艙進水造成的。這一觀點引起了人們新的猜測。

之後發現的一份絕密檔案則讓「鐵達尼號」的沉沒原因變得越來越撲朔迷離。據倖存下來的船員證實，海難發生時，他們在甲板上看到了大海中有一些奇怪的

「鬼火」。而當時距離「鐵達尼號」最近的「加利福尼亞號」的船長也聲稱，他清楚地看到了一艘來歷不明的船隻，上面一直若隱若現地閃爍著「鬼火」。這艘神祕的船似乎正好擋在了「鐵達尼號」和「加利福尼亞號」之間。科學家們按照「鐵達尼號」殘骸考察計畫，對船體進行拍攝。在其中的六幅水下照片中，又意外地發現了八個來歷不明的神奇發光體。最初研究人員猜想那是深海中會發光的魚群，但是他們找不到證據來證明自己的猜想。而且，這些發光體像是某種能量的凝聚體。據此，科學家們得出了一個結論：「鐵達尼號」是因為遭到不明潛水飛行物射出的射光束的攻擊，導致船體進水而沉沒的。

這艘「永不沉沒的船」真的是因為木乃伊的詛咒，或者外星人的攻擊而沉沒的嗎？科學界顯然不會接受缺乏證據的主觀臆想，就讓我們期待研究者們早日為我們揭開事情的真相吧！

圖坦卡蒙的咒語之謎

一九二二年十一月二十六日下午，沉睡千年的圖坦卡蒙法老陵墓被打開了。在人們為墓中無數的稀世之寶而欣喜若狂時，誰也沒有注意到法老墓室外一塊不起眼的陶瓷碑上，鐫刻著這樣一句咒語：「誰擾亂了法老的安寧，死神將展翅降臨在他的頭上。」等到這句咒語被翻譯出來時，法老的詛咒已經開始顯現它的威力了。

被詛咒的人

一九二三年四月五日，資助這次考古發掘的卡納馮伯爵五世成了圖坦卡蒙咒語的第一位犧牲者。

三月六日，陵墓的發掘工作還在進行，住在附近酒店的卡納馮伯爵五世被一隻蚊子叮了一下。隨後他在刮臉時，又莫名其妙地失手將這個腫塊刮破了，然後一隻奇臭無比的蒼蠅落在了滲血的傷口上導致了傷口感染。卡納馮伯爵五世因此患上了敗血證和肺炎，高燒四十℃

以上，被人送進了開羅的一家醫院。

四月五日凌晨兩點，突然停電了，整個開羅頓時陷入了一片黑暗，不久之後電又突然來了。對這次停電事故，開羅供電局也無法做出合理的解釋。然而就在這短暫的黑暗中，五十七歲的卡納馮伯爵五世去世了。與此同時，他在倫敦家中的獵狗也突然發出一聲可怕的嗥叫，倒地而亡。有人聲稱，卡納馮伯爵五世臉上的傷口與法老面部的傷疤，正好處於同一位置。

然而這只是一系列死亡事件的開端。卡納馮伯爵五世去世不到一個月，隨他參觀過陵墓的傑・古爾德聽說伯爵的死訊後便立即趕到埃及。第二天，他就發起了高燒，十二個小時後便死去了。

一九二三年九月，卡納馮伯爵五世同父異母的弟弟奧布里・赫伯特在一次拔牙手術後突然去世。不久，在開羅那家醫院護理過卡納馮伯爵五世的護士去世了。

一九二九年，霍華德・卡特的得力助手，曾見證過圖坦卡蒙的開棺儀式的亞瑟・梅西，莫名其妙地昏迷不醒，死在卡納馮伯爵五世住過的旅館裡。同年，卡特的另一個助手理查・費爾猝死。

第一個解開圖坦卡蒙木乃伊的裹屍布，並用X光透視過木乃伊的亞齊伯爾特・理德教授，在拍了幾張照片後，突然高燒，回到倫敦不久便去世了。

一位給圖坦卡蒙的木乃伊拍過照片的攝影記者，在拍攝之後突然休克，不久也離開了人世。

但是這些離奇的死亡事件並沒有嚇倒那些探險者，圖坦卡蒙木乃伊的神祕感反而讓他們更加無所畏懼。阿薩·C·麥斯教授和埃普林・霍瓦依特博士，自願與霍華德・卡特博士聯手，準備繼續研究圖坦卡蒙王陵墓。在研究工作開展之後不久，咒語再次顯靈了。就在麥斯教授進入靈柩房後的剎那，突然離奇地倒地斃命了，而霍瓦依特博士則在離開靈柩房數天後，自殺身亡。

這些離奇的死亡不免讓去埃及的考古學家和遊客們從此「談咒色變」。經統計，到一九三〇年底，至少有二十二個直接或間接參與發掘圖坦卡蒙陵墓的人死亡。以後，至少有三十五名學者、專家成了圖坦卡蒙咒語的犧牲品。

法老咒語的真相

中毒说

有些研究者認為，埃及法老中不乏毒物專家，第一王朝的第一位國王美尼斯就是種植有毒作物的能手。法老們為了防止墓穴被盜，有可能在墓中的所有物品上都塗上讓人一觸即亡的劇毒，或者是在墓中放置有劇毒的害蟲和毒物。這些劇毒物的毒性在墓中乾燥的空氣和密封的環境中得以保持下來。人一旦進入墓中，吸入毒氣，或早或晚都會毒發身亡。

微生物说

一九六二年十一月三日，開羅大學生物系教授阿扎丁·塔哈召開記者招待會，宣稱他找到了法老咒語的祕密：一種可在木乃伊體內或墓穴中生存三、四千年的叫做「麯黴丁菌」的病毒。進入法老陵墓的人正是感染了這種病毒，引起肺炎死去的。

一九八三年，法國人菲利浦又提出，致命的不是病毒而是霉菌。由於陪葬物中的眾多食品日久腐敗，在墓穴裡形成了眾多霉菌微塵。進入墓穴者不可避免地要吸入這種微塵，從而導致肺部感染死去。

一九九九年，德國微生物學家哥特哈德·克拉默果真在木乃伊的身上發現了可以寄居繁殖長達數個世紀之久的足以致命的細菌孢子。

放射物質說或超能量物質說

有人認為，墓道壁上有一層粉紅色和灰綠色的東西，可能是一種死光，會散發出使人喪命的物質。

還有些科學家認為，陵墓的結構設計能產生並聚集某種特殊的宇宙射線、磁場或能量波，形成物理場，從而置人於死地。《環境輻射學報》的巴克斯特表示：「高含量氡氣(天然放射性氣體)損害了當年來埃及進行考察的考古學家的健康。換而言之，那些被『咒語』不幸言中的考古學家，是受了墓穴內大量的核輻射而死亡的。」埃及古文物學會祕書長、考古學權威扎西・哈瓦斯博士也指出，「法老咒語」其實是一種可以致癌的氡氣。

心理暗示說

有人還從心理學的角度對這些離奇的死亡做出分析。他們認為，恐懼心理常常可以給人暗示，大多數人對咒語感到既陌生又恐懼，強大的暗示作用或成為疾病發作的誘因，進而導致死亡。

以上說法大都缺乏足夠的依據。困擾人們多年的法老咒語之謎，還需要科學家的進一步努力才能解開。

中世紀黑死病流行之謎

黑死病是十四世紀流行於整個亞洲、歐洲和非洲北部的大型瘟疫，因為患者的皮膚上會出現青黑色的皰疹，所以被稱為「黑死病」。

黑死病最初於一三三八年在中亞一個小城中出現，一三四〇年左右向南傳到印度，隨後向西沿古代商道傳到俄羅斯東部。一三四〇年到一三四五年，整個俄羅斯大草原都被死亡的陰影籠罩著。一三四五年冬，進攻熱那亞領地法卡的韃靼人將黑死病患者的屍體拋入城中，造成城中瘟疫流行。極少數存活下來的法卡居民逃到了地中海地區，瘟疫也隨之在他們的逃亡路線上傳播開來。

一三四七年，黑死病肆虐的鐵蹄最先踏過拜占庭的君士坦丁堡。到一三四八年，西班牙、希臘、義大利、法國、敘利亞、埃及和巴勒斯坦都相繼爆發了黑死病。這是歐洲歷史上最為神祕最為恐怖的疾病，它在歐洲肆虐五年，奪去了約二千五百萬人的生命，佔歐洲總人口的三分之一。它徹底改寫了整個歐洲甚至世界的歷史。此後的三個世紀內，它仍然不斷造訪歐洲和亞洲的城鎮，威脅著在那裡生活的人們。

鼠　疫　說

黑死病的證狀，最早是在一三四八年由一位名叫博卡奇奧的佛羅倫薩人記錄下來的：最初的證狀是腹股溝或腋下的淋巴腫大，然後，胳膊上、大腿上以及身體其他部位會出現青黑色的皰疹，通常伴有發熱症狀；幾乎所有的患者都會在三天內死去，極少有人能夠倖免。

一八九四年，法國細菌學家亞歷山大·耶爾森發現了引起鼠疫的病原體，這種病原體被命名為「耶爾森氏鼠疫桿菌」。而歷史上關於黑死病的特徵的記錄中，有一些關於淋巴腺腫大的描述，與十九世紀發生於亞洲的淋巴腺鼠疫相似。從那以後，科學界普遍認為，黑死病就是鼠疫桿菌襲擊淋巴腺導致的腺鼠疫。這種疾病可以由人直接傳染給人，但主要的傳播途徑是老鼠和跳蚤。

這種病菌可能是由跳蚤傳播的。跳蚤先吸了受到感染的老鼠的血液，而後又跳到人身上吸人的血，最後病菌通過血液傳到人的體內。

其他說法

多少世紀以來，人們從未停止過對黑死病的研究，期待有朝一日能徹底了解它的起因、傳播途徑等，做到防患於未然。一直以來，人們認為黑死病就是鼠疫，但最新的研究結果對於黑死病的起因又提出了新的看法。

英國科學家的最新研究結果表明，黑死病發生的原因很可能是一顆小型彗星在進入地球大氣層後發生爆炸，使得灰塵遮天蔽日，引發全球「核冬天」，並間接造成農作物絕收、饑荒和瘟疫的大流行。而利物浦大學的研究人員認為，通過研究黑死病的傳播方式，可以看出，它並不是淋巴腺鼠疫，而是由一種類似埃博拉的病毒引起的的疾病。這種病毒的感染者有可能在二十四小時內死亡，其死亡率高達百分之五十至百分之九十。

另外，利物浦大學的鄧肯教授和斯科特博士還提出了一項理論，他們認為黑死病可能只是暫時蟄伏，有可能再次爆發。不管科學家們對黑死病的起源存在著多少分歧，對這個觀點卻是不約而同地表示了認同。那麼，我們只能期待科學家們可以儘早發現黑死病的起因，找出方法來制止這種恐怖的疾病再次降臨。

凱撒被刺之謎

凱撒是古羅馬共和國末期傑出的軍事統帥和政治家。他連年征戰，獲終身獨裁官、執政官、保民官等職，兼領大將軍、大祭司長等榮銜。他是羅馬帝國的奠基者，所以被一些歷史學家視為羅馬帝國的無冕之王，有「凱撒大帝」之稱。甚至有歷史學家將其視為羅馬帝國的第一位皇帝，以其就任終身獨裁官的日子為羅馬帝國的誕生日。後來，「凱撒」甚至成了皇帝的稱號，古羅馬帝國的君主及其後的德意志帝國、俄羅斯帝國君主都有用這個稱號的。

在古羅馬共和國末期，凱撒一人獨攬羅馬的軍政大權，在他的統治之下，共和制已是名存實亡。這引起了部分固守羅馬共和傳統的元老貴族的強烈不滿，也給凱撒招來了殺身之禍。六十名元老院議員串通起來，密謀暗殺凱撒。

西元前四四年三月，凱撒正在全力準備對小亞細亞地區的帕提亞人的一場戰爭。在此之前，早有一則許多羅馬人都信奉的預言：只有國王才能打敗帕提亞人。於是社會上流言四起，認為凱撒是在找一個公開稱王的機會。在他出發之前，元老院準備在三月十五日召開一個會議，反對分子們決定在會上動手刺殺凱撒，為首的是布魯圖和卡西約。

當晚，布魯圖來到凱撒家，居心叵測地勸說凱撒不要給人以指責他高傲的口實，要求他去元老院親自宣布取消這次會議。在布魯圖的再三勸說下，凱撒最後答應由他陪同前往元老院。

在途中，凱撒遇到一位占卜師，據說此人過去曾警告凱撒三月十五日會有危險。可凱撒本人不相信占卜，就開玩笑地對他說：「三月十五日已經到了！」占卜師反駁道：「是啊，已經到了，但還沒有過去。」凱撒進入議事廳後，從容地坐在黃金寶座上。這時，一個刺客假裝懇求他辦事，順勢抓住他的紫袍，這是行動的暗號。隨即，所有陰謀者立刻一擁而上，把凱撒團團圍住，刀劍雨點般地落到他的身上。

起初凱撒還在奮力抵抗，但當他看到自己一向深信不疑的義子布魯圖也拿著匕首向他走過來的時候，他絕望地喊道：「布魯圖，連你也這樣嗎？」在這之後，他便用衣服裹住了頭，停止了反抗。據說，布魯圖撲過來後給了他致命的一刀。

布魯圖弑父

布魯圖真的參與了刺殺父親凱撒的行動嗎？他又是出於什麼動機殺死凱撒的呢？為凱撒和布魯圖寫作傳記的普魯塔克認為，共和派的布魯圖與卡西約一夥人極端仇視君主專制制度。面對有稱王企圖的凱撒，布魯圖表明了他堅定的立場：「為國家自由而死是我們義不容辭的職責！」這似乎說明，在布魯圖心中，凱撒是共和的敵人，羅馬在凱撒手中必定會走向專制，除掉凱撒則是他義不容辭的職責。

不堪癲癇困擾

一世英明的凱撒真的預料不到自己所面臨的危險嗎？據說他當天根本沒有帶士兵保護自己，這究竟是由於他的過分自信，還是另有隱情呢？

有一種說法是凱撒因為不堪疾病的困擾而故意讓對手殺死自己的。凱撒一直飽受癲癇病的困擾，而且病情日漸惡化。這位英雄不想在疾病的折磨下卑賤地死去，於是他選擇了激怒對手，從而悲壯地死去。那天他沒有帶士兵保護自己，似乎也可以印證這個說法。

凱撒的名言

1.我到來，我望見，我征服！

2.懦夫在未死之前，已身歷多次死亡的恐怖了。

3.年輕的時候，日短年長；年老的時候，年短日長。

4.先分化，再征服。

5.殺一個人，那是兇手；殺一百個人，那是英雄。

6.唯一好的是知識，唯一壞的是無知。

羅馬城大火之謎

西元六四年七月十八日，在羅馬城內的競技場附近，發生了一起可怕的火災。由於當時正颳著大風，於是火借風勢迅速蔓延。這場大火持續了整整九天，吞噬了城內成千上萬的生命，許多宏偉壯麗的宮殿、神廟及公共建築物都被燒成了灰燼，而羅馬人在無數次戰爭中掠奪而來的奇珍異寶、文獻典籍等也都毀於一旦。這場大火把全城十四個區燒掉了十個，其中三個區化為焦土，其餘各區也只剩下斷壁殘垣。這是古羅馬歷史上空前的大災難。這場大火是天災還是人禍？如果是人禍，又是誰點燃了這場大火？

暴君尼祿

大火之後，當時的羅馬皇帝尼祿立即成為了眾矢之的。尼祿是古羅馬黃金時代的最後一個皇帝。他未滿十七歲就被推上帝王寶座，因其統治殘暴、生活驕奢等劣行而成為羅馬歷史上有名的暴君。當時，為了消除嫌疑，轉移公眾的注意力，尼祿指控基督教徒為縱火犯，發動了羅馬歷史上第一場大規模迫害基督教徒的運動。古羅馬史學家塔西陀的《編年史》第十五卷四十節至四十四節記錄了整個事件。其中有這樣的敘述：「當大火吞噬城市時，沒有人敢去救火，因為有許多阻止人們前去救火的人不斷發出威脅，還有一些人竟公然到處投擲火把。他們喊著說是奉命這樣做的。」

雖然塔西陀在整個敘述中沒有任何地方明確表明尼祿就是縱火者，基督徒只是替罪羔羊，但是又無處不暗含這個判斷。後世不少研究者據此推測，尼祿是為了嫁禍給基督徒而故意派人縱火的。

羅馬傳記家、史學家蘇埃托尼烏斯則有更為直接詳盡的記述：「他(尼祿)以不喜歡難看的舊建築和曲折狹窄的舊街道為借口，竟然如此公開地點著了這座城市，以致幾位前任的執政官在他們自己的莊園上發現尼祿的侍從拿著麻屑和火把時，竟然不敢捕拿他們。」據說，當羅馬城變成一片火海的時候，尼祿不僅坐視不管，還登上了花園的塔樓，在七弦琴的伴奏下，一邊觀看著火海的絢麗景象，一邊高歌著有關古希臘特洛伊城毀滅的詩篇。大火之後，尼祿不是忙著安撫民衆，而是搶先在古羅馬最中心的地區修建了自己的「金屋」。這位荒唐皇帝的一系列的胡作非為，讓人們幾乎毫不懷疑這場大火就是因為尼祿厭棄簡陋的舊城想再建新城而縱的。這些說法不管有沒有事實依據，卻廣為流傳。

天　災

也有歷史學家依據當時的天氣情況來分析，認為羅馬城的火災可能是一場天災。不能因為尼祿是一個荒淫殘暴的皇帝，就認為他是這場大火的縱火者。蘇聯學者科瓦略夫也認為火災是偶然發生的。從尼祿的一貫作風推斷，自稱為「藝術家」的尼祿不可能選擇在七月十八日縱火。因為當天正好是滿月的時候，在皎潔的月光下，到處都是大火濃煙、到處都是慘叫哀號，可不是什麼美景。當然，這個推斷只能算是一種動機上的推斷，並不具有說服力。曾經為歐洲政治、文化、經濟、貿易中心的古羅馬，就在這場大火中成了一片廢墟。後來雖然經歷代統治者的整修，卻依然無法重現它昔日的繁華。然而至今人們也無法證實，誰是這場大火的真正元兇。

聖女貞德死亡之謎

貞德(一四一二年至一四三一年)，是法國的民族英雄、軍事家、天主教會的聖女。在英法百年戰爭中，她帶領著由法國平民組成的軍隊對抗英國軍隊的入侵，支持法國國王查理七世加冕，為法國的最終勝利做出了傑出貢獻，並留下了許多神奇的英雄傳說。

後來，她在一次戰役中被勃艮第人所俘。經過一番談判，勃艮第的菲利普公爵以四萬法郎的價格將貞德賣給了英國。審判貞德的程序於一四三一年一月九日在法國里昂展開，由英國人主導，許多神職人員也被迫參加了這次審判，有些人還受到了來自英國人的死亡威脅。

在這場極其無恥的審判中，他們想盡一切辦法對貞德做出了十二項罪行指控，又用各種方式逼迫不識字的貞德簽下了一份她完全看不懂的公開聲明書，而這實際上是一份認罪書。就這樣，不到二十歲的貞德被判了死刑。

火刑於一四三一年五月三十日在法國里昂進行，目擊者描述了執行火刑時的一幕：遊街示衆之後，貞德被押赴刑場，捆綁在火刑柱上。她不斷地祈禱著，並請求旁邊的牧師讓她握著一個小十字架。最後火被點燃了，一段時間後，一切都結束了。英國人將燒焦的木炭撥開，暴露出焦黑的屍體，以向人群證明她的確死了，接著又焚燒了一次屍體，直到將屍體被燒成了灰燼。貞德的死，更激起了法國人民對英國的仇恨，他們以更加無畏的精神投入到對英國的戰爭中。

一四五三年十月十九日，英軍終於在波爾多投降，持續了一百多年的英法戰爭從此結束。戰爭結束後，在貞德年邁的母親和法國異端裁判所的首席法官的請求下，對貞德的「罪行」重新進行了一次審判。

一四五六年六月，審判法庭最終得出結論，認定貞德為一個聖女，並指出當初主導審判的皮埃爾·科雄是為了自身的現實利益而錯誤地給貞德定下了死罪。法庭在一四五六年七月七日正式為貞德洗清了冤屈。

此後，有關貞德死時的種種奇聞不脛而走。有個英國士兵稱，行刑時，他親眼看到一隻白鴿從火焰中飛出，直上天空，還有一些人說，火堆中出現了「耶穌」

的字樣。這些離奇的傳聞帶有很明顯的杜撰痕跡，並沒有什麼可信度。

貞德被處以死刑五年後的一天，即一四三六年五月三十日，出現了一個自稱為貞德的女性。貞德的哥哥皮埃爾認為該女性就是真的貞德。這個貞德受到了城堡領主們的歡迎。同年秋天，她同盧森堡公爵領地的領主羅伯特結了婚。然而後來卻證實，這個貞德是假冒的。

另一份一四五七年的資料則說貞德是皇室的私生女。根據資料顯示，貞德是查理六世的皇后伊莎貝拉同查理六世的弟弟路易所生。如果說貞德是王族的後裔，處刑的極有可能是她的替身。但是，學者們普遍認為這種事情是不可能的。

還有人稱，在貞德被施刑後的火堆中，找到了一根貞德的肋骨。當時，並沒有聽說關於這根遺骨的傳聞。直到十九世紀六〇年代末，這根遺骨才從一個藥劑師手中被送到了圖爾的大主教管轄區內的一家博物館中珍藏。

一九〇九年，有科學家宣布這根肋骨很可能就是貞德的遺骨，這個結論得到了教會的認同。可是，後來法國科學家用高科技手段對其進行細緻研究後卻發現，這根遺骨竟然是來自埃及的木乃伊。根據普遍的看法，英國人在行刑的時候甚至連貞德的骨灰都沒有留下來。但是也有一些歷史記錄和傳說都認為貞德的遺體並沒有被大火完全燒盡。

有一種說法稱，儘管劊子手將火焰燃到最烈，但貞德的心臟和其他內臟在兩次焚燒後仍然沒有被燒盡。最後，溫切斯特紅衣主教命令劊子手將剩下的遺體和骨灰一同扔進了塞納河中。法國法醫學家沙利耶也支持這一說法，他認為將一具屍體完全焚燒是非常困難的，因為一些器官，比如心臟，含有很高的水分，對火具有很強的抵抗力。在很多案例中，他們常常見到這樣的情況。

聖女貞德究竟有沒有死？她有沒有遺骨留下？這一切我們已經無從考證了。

連天的烽火，滾滾的硝煙，

究竟掩藏了多少祕密？

別被外在的假象迷惑，

努力去探尋，

只為從今以後不再有戰爭。

赤壁古戰場之謎

大江東去，浪淘盡，千古風流人物。故壘西邊，人道是，三國周郎赤壁。亂石穿空，驚濤拍岸，捲起千堆雪。江山如畫，一時多少豪傑。

遙想公瑾當年，小喬初嫁了，雄姿英發。羽扇綸巾，談笑間，檣櫓灰飛煙滅。故國神遊，多情應笑我，早生華髮。人生如夢，一樽還酹江月。

這首《念奴嬌・赤壁懷古》是北宋大詞人蘇軾被貶官到黃州赤鼻山遊玩時寫下的千古絕唱。由此，人們又把赤鼻山稱為「東坡赤壁」。那麼，這裡究竟是不是赤壁古戰場呢？

從地理位置上看，赤鼻山既不在樊口上游，又不在大江之南，而是在今湖北武漢以東，因此不可能是當年的戰場。

那麼，赤壁之戰的古戰場到底在哪裡呢？

有的學者認為在湖北嘉魚縣東北，其依據為《大清一統志》中所說：「赤壁山在嘉魚縣東北江濱。」《水經注》中也說：「赤壁山在百人山南，應在嘉魚縣東北與江夏(今湖北武漢)接界處，上去烏林二百里。」有的學者則認為赤壁古戰場在蒲圻縣(今湖北省赤壁市西北)。因為《元和郡縣圖志》中稱：「赤壁山在蒲圻縣西一百二十里，北臨大江，其北岸即烏林，乃周瑜用黃蓋策，焚曹公舟船敗走處。」

蒲圻赤壁

還有的學者認為赤壁古戰場在武昌西南的赤磯山，距烏林約八十餘公里。其主要依據是《荊州記》一書曾提到周瑜、黃蓋大軍自赤壁溯江而上，破曹操於烏林。最有趣的是，有許多人都認為赤壁之戰發生在漢水，而不是長江。他們認為，當年曹軍南下，首先破襄陽，奪劉表水軍。襄陽在漢水邊，離長江很遠，這支艦隊只能沿漢水入長江。

真相只有一個，那麼真正的赤壁之戰的古戰場究竟在哪裡呢？相信總有一天學術界會有統一的意見。

相關連結

東坡居士蘇軾

蘇軾，字子瞻，號東坡居士，所以他又被人們稱為「蘇東坡」。他與他的父親蘇洵、弟弟蘇轍都以文學出名，因此父子三人被後人稱為「三蘇」，與漢末的曹操、曹丕、曹植的「三曹」齊名。

闖王李自成下落之謎

明朝末年，國家早已千瘡百孔。雖然崇禎皇帝朱由檢厲精圖治，卻無力回天。

崇禎二年(一六二九年)，李自成在榆中(今甘肅蘭州榆中縣)發動了起義。一六三六年，李自成被推為「闖王」。一六四〇年，李自成率軍攻入河南，大賑饑民。此舉使李自成的軍隊迅速發展到上萬人。隨後，李自成又提出「均田免賦」的口號，贏得了民心。一六四四年，李自成率大軍五十萬東征北京，一路勢如破竹。同年四月，崇禎皇帝在煤山上吊自殺。至此，明朝滅亡。但是不久之後，李自成的農民軍在山海關遭到了吳三桂和多爾袞聯軍的夾擊，大敗而歸。此後，李自成連連戰敗，只得轉戰南北。一六四五年，李自成率軍來到湖北九宮山時，遭到忠於明朝的地方武裝的襲擊，從此不知所終。李自成的結局究竟如何，目前學術界大致有兩種說法。

死於九宮山

據《南疆逸史》、《明史》、《小腆紀年》等史籍記載，李自成在九宮山被地方武裝殺死，只是死後不見了屍首。

另一些史料指出李自成的確死於九宮山，其中有兩則奏報成為多數學者研究李自成下落的依據。其中一則是清將呈給清廷的奏報，裡面寫道：反兵逃竄至九宮山中，我軍隨後搜遍全山，不見李自成。李自成身邊的隨從共二十人，被困，自縊而死。派遣一個見過李自成的人前往辨認，但屍體已腐爛。另一則是南明重臣何騰蛟上呈給唐王朱聿鍵的奏報，裡面寫道：在九宮山已將李自成斬首，首級不慎丟失。但是，這種說法也有疑點：上呈奏報的阿濟格和何騰蛟兩人當時並未在九宮山，李自成死於九宮山的消息是他們從手下將士那裡聽說的。就算李自成真的死於九宮山，也沒有人親眼看見他的屍首。基於這兩點，於是有學者提出李自成並未死於九宮山，他是為了逃脫困境，才製造出自己已身亡的假象的。

出家當和尚

有人經過考察後推測，當時李自成逃出重圍後，單獨來到夾山靈泉寺，從此削髮為僧，法號「奉天玉」，也就是夾山靈泉寺的祖師「奉天大和尚」。這些學者給出以下依據：

一、清朝的湖南澧州知州何璘在《書李自成傳後》一文中提到，他曾到夾山實地調查過一位服侍過奉天玉和尚的老和尚。老和尚告訴何璘，奉天玉是順治初年來到靈泉寺的。後來何璘取出李自成的畫像讓老和尚看，老和尚說奉天玉和尚長得很像畫上的李自成。

二、李自成在崇禎十六年(一六四三年)自稱「奉天倡義大元帥」，因此「奉天玉」這個法號可能隱含「奉天王」之意。

三、前幾年在湖南石門夾山發現了奉天玉和尚墓葬，以及木刻版《梅花百韻》。奇怪的是，《梅花百韻》中有一首《東閣梅》說「徐聽三公話政猷」，這種口氣與和尚說話的口氣迥然不同，倒像是皇帝在聽三公閣老論政一般。

四、夾山現存的三塊石碑：奉天玉弟子野拂立的「奉天玉」斷碑、康熙十四年(一六七五年)楊彝子寫的《重修夾山靈泉禪院功德碑記》和道光三十年(一八五〇年)通州知州王大猷撰的《重修夾山靈泉寺碑誌》，都證明奉天玉和尚就是李自成。

但是，也有人認為奉天玉和尚不是李自成，理由如下：

何璘讓老和尚看的李自成的畫像與史書記載的不一致。《明史》說李自成「狀貌猙獰」，其左眼在崇禎十四年(一六四一年)中箭，因此被明廷稱為「瞎賊」。但那幅畫像中的人物左眼仍在，說明畫像上的人並不是李自成；夾山現存的三塊石碑，只能證明確實有奉天玉這個人，卻並不能證明李自成就是奉天玉；李自成從未設置過「三公」的官職，因此《東閣梅》中「徐聽三公話政猷」並沒有什麼實際上的意義；沒有具體的證據證明「奉天玉」這個法號隱含著奉天王之意。

李自成究竟是死於九宮山還是到夾山出家當了和尚，目前還沒有確切的答案。但我們相信，終有一天，學者會為我們解開這個未解之謎。

致遠艦沉沒之謎

一八九四年，中日甲午戰爭爆發。同年九月十七日，中日兩方在黃海展開大戰，黃海海面頓時炮聲震天，硝煙彌漫。

北洋艦隊「致遠」號管帶鄧世昌發現敵前鋒艦「吉野」號十分猖狂，便下令各炮位一齊向「吉野」號開火。不料，那些炮彈裡裝的全是沙土，突如其來的狀況讓官兵們措手不及。此時，日本四艘先鋒艦開始圍攻致遠艦。致遠艦連續受到重炮榴霰彈的轟擊，艦身中彈累累，甲板上也起了火。在這萬分緊急的關頭，鄧世昌決定去撞擊「吉野」號，想與之同歸於盡。眼看致遠艦就要撞上敵艦時，艦身卻突然傾斜，慢慢地向海底沉去。

鄧世昌像

在軍艦將要完全沉沒的時刻，隨從劉忠將救生圈遞給鄧世昌。鄧世昌斷然拒絕，他說：「事已至此，義不獨生，誓和『致遠』號全艦士兵共存亡。」鄧世昌與全艦二百五十餘名官兵一同壯烈殉國。鄧世昌的愛國壯舉至今仍激勵著我們。但是，人們也不禁要問，致遠艦為何會突然沉沒。

被魚雷擊中說

與鄧世昌同時代的姚錫光在《東方兵事紀略》一文中這樣寫道：「管帶鄧世昌……謂倭艦專恃吉野，苟沉是艦，則我軍可以集事，遂鼓快車向吉野衝突。吉野即駛避，而致遠中其魚雷，機器鍋爐迸裂，船遂左傾，頃刻沉沒。世昌死之，船衆盡殉。」

鄧世昌的孫女鄧素蛾在回憶鄧世昌軼事時，也說致遠艦是被魚雷擊中而沉沒的。然而，儘管當時的魚雷威力非常大，但是性能並不穩定，射程又較近，因此日軍擔心其變成安全隱患，便將魚雷全部都丟入到海中去了。而且，日軍的史料對日方艦隊向致遠號發射魚雷一事也沒有記載。

中炮沉没説

據故宮博物院編著的《清光緒朝中日交涉史料》記載，北洋艦隊提督丁汝昌在戰後向北洋大臣報告海戰經過時說：「倭船快，炮亦快且多。對陣時彼或夾攻，或圍繞，其失火被沉者，皆由敵炮轟毀。」當時參戰的外國軍官泰萊在《甲午中日海戰見聞記》中說：「為敵炮所沉者三艦，其中有一為忠勇之鄧君所統之致遠艦。」致遠艦的沉沒成了中日甲午戰爭黃海海戰中的一個未解之謎。

歷史上真的發生過特洛伊戰爭嗎

《荷馬史詩》之《伊利亞特》裡記載過一場赫赫有名的戰爭——特洛伊戰爭，然而，這場戰爭又和神話結合在了一起。那麼，歷史上真的發生過特洛伊戰爭嗎？

荷馬史詩中的特洛伊戰爭

特洛伊戰爭與特洛伊、斯巴達和邁錫尼三國有關。據說，特洛伊的王子帕里斯對當時全希臘最漂亮的女人——斯巴達的王后海倫一見鍾情，就唆使海倫離開丈夫，跟他同赴特洛伊。海倫聽信帕里斯的話，三日後，兩人一起回到特洛伊。

斯巴達國王受此羞辱，怒火萬丈，於是決定攻打特洛伊。他聯合他的哥哥——鄰國邁錫尼的國王阿伽門儂，找到當時的第一勇士阿喀琉斯，領著數十萬人和一千多艘船艦開始攻打特洛伊。戰爭持續了九年，仍未分出勝負。到第十年的某一天早晨，希臘聯軍的戰艦突然揚帆離開了，只在海灘上留下了一個巨大的木馬。特洛伊人不知是計，於是把城牆拆開了一段，將木馬拉進了城中。

當天晚上，特洛伊人歡天喜地地慶祝勝利，他們喝了一桶又一桶的酒。夜深人靜時，從木馬中跳出了一個又一個全副武裝的希臘戰士。他們殺死了睡夢中的守門士兵，迅速打開了城門，和埋伏在外面的希臘士兵裡應外合，一舉攻下了特洛伊。

爭論與考證

一些學者認為，《荷馬史詩》只是一部文學作品，因此它記載的內容並不能被當成史實。另一些學者卻認為，歷史上確實發生過特洛伊戰爭。然而，要為這個觀點提供依據，首先就必須找到特洛伊城的遺址。一八七〇年，英國人施里曼來到西安納托利亞的愛琴海岸和今天土耳其的西薩爾立克，試圖尋訪特洛伊城遺址。令人驚奇的是，施里曼真的挖掘出了被湮沒兩千多年的特洛伊城遺址。其後，考古學家又陸續於此處發掘出八座不同時期特洛伊城的遺址，這九座遺址層層相疊，形成九個地層。也就是說，特洛伊城曾經九建九毀。

儘管如此，有些考古學家卻認為這座古城的遺址與《荷馬史詩》裡提到的特洛伊城沒有關係。然而，隨著發掘工作的展開，考古人員在遺址的第七層發現了火災殘跡、大量散置的投石器彈丸，密集的房屋中有大量可以儲備食品和水的器皿以及一些房中和街道上的骸骨，這些都說明該城曾經經歷過戰火，並被困了很長的時間，最終淪陷。

那麼，這是否就證明了歷史上確實發生過特洛伊戰爭呢？目前學術界對此仍有爭論。

斯巴達克斯率軍南下之謎

公元前七十三年，古羅馬爆發了一場大規模的奴隸起義，起義曾經席捲整個義大利半島。

起義的領導者是一名名叫斯巴達克斯的角鬥士，他本來是巴爾幹半島東北部的色雷斯人，古羅馬軍隊入侵北希臘時，他被俘虜，淪為奴隸。由於斯巴達克斯聰明、體格健壯，他的主人便把他送進角鬥士學校，想把他訓練成一名出色的角鬥士。斯巴達克斯認為，角鬥士不應該成為古羅馬貴族取樂的犧牲品，於是祕密組織了兩百多名角鬥士準備暴動。然而消息不慎走漏，斯巴達克斯與他的同伴克雷斯和奧梅尼奧斯被迫提前在角鬥士學校的廚房發起暴動，最終有七十八人衝出了牢籠。

這支隊伍逃到維蘇威火山上發動了起義。隨後，起義隊伍收容了大量逃亡的奴隸、角鬥士、破產的農民，以及從古羅馬軍團逃出的士兵，快速發展壯大成一支擁有上萬人馬的隊伍。西元前七十三年秋，古羅馬派出軍隊將維蘇威火山圍困住。起義軍則沿著峭壁用野葡萄藤編的繩索攀援而下，出其不意地擊敗了古羅馬軍隊。

起義軍又與古羅馬軍隊交戰多次，最終發展成為一支擁有十餘萬人的隊伍。在這種形勢下，斯巴達克斯為了重獲自由，擬訂了一個北上計畫：「全軍向阿爾卑斯山前進，越過高山，北上出境，返回故土。」然而，就在起義軍一度攻打到阿爾卑斯山腳下的穆提那城的時候，斯巴達克斯卻突然放棄了北上的計畫，率領全軍掉頭南下。那麼，究竟是什麼原因使他放棄了原本的北上計畫呢？

內部矛盾

由起義軍的發展過程我們可以看出，起義軍的組成是非常複雜的。如果起義軍內部不團結，各自為自己的利益著想，那麼在做重大決定的時候，必然會產生分歧。例如，斯巴達克斯在提出北上計畫的時候就遭到了副將克里克蘇的反對。後來，克里克蘇率領兩萬人憤然出走，卻不幸被古羅馬軍隊消滅了。

在此之後，起義軍遭遇古羅馬獨裁官克拉蘇帶領的八個軍團的圍剿，大傷元氣。在這緊要關頭，起義隊伍中以康格尼斯為首的牧民和貧民(約有一・二萬人)又因不願離開義大利而離開了起義隊伍。不久後，這些以牧民和貧民組成的隊伍就被克拉蘇的軍隊給殲滅了。所以，斯巴達克斯不得不改變策略，率軍南下，與古羅馬軍隊進行了最後一戰。雙方在阿普里亞境內展開激戰，斯巴達克斯和手下的六萬人馬全部戰死。

為什麼起義軍內部會存在如此嚴重的分歧呢？學者們推論說，起義軍的成員源於不同的地方，來自於色雷斯的斯巴達克斯等角鬥士希望能返回故鄉；來自於古羅馬的破產的農民和牧民則希望能夠繼續留在古羅馬。於是，起義軍在北上還是南下這個問題上產生了矛盾。

決定於客觀形勢

也有人認為，斯巴達克斯突然改變北上計畫是被客觀形勢的變化所左右的。當初斯巴達克斯決定北上是認為古羅馬軍隊的力量過於強大，起義軍難以與之抗衡，長時間地停留在古羅馬肯定是不行的。比較之下，敵人在北部的阿爾卑斯山地區的力量較薄弱，如果部隊能夠行進到那裡，一來可以發展自己，二來可以翻越阿爾卑斯山回到故鄉。

後來，起義軍接連戰勝古羅馬軍隊，便覺得留在古羅馬，與古羅馬軍隊拚一拚，說不定也能夠取得勝利。

阿爾卑斯山風光

阿爾卑斯山脈的阻攔

還有人認為，斯巴達克斯放棄北上計畫是因為受到阿爾卑斯山脈的阻攔。阿爾卑斯山脈是歐洲最高大的山脈，山頂常年被冰雪覆蓋。而起義軍將士們身上只穿著單薄的衣服，無法抵禦嚴寒，隨軍所帶的物資給養也不夠支撐起義軍翻越阿爾卑斯山脈。因此，斯巴達克斯不得已才放棄了北上的計畫。

雖然，直到現在我們依然不知道為什麼斯巴達克斯會突然改變北上計畫率軍南下，但他在起義中所表現出來的英勇鬥爭的精神和卓越的軍事領導才能，卻值得後人景仰和稱頌。

古羅馬軍隊失蹤之謎

克拉蘇是古羅馬共和國的三大執政官之一，西元前七十一年，就是他率軍鎮壓了國內的斯巴達克斯大起義。西元前五十三年，克拉蘇為了爭奪權力，又率四萬多人的軍團向東遠征安息(今伊朗)，在卡爾萊(今敘利亞的帕提亞)遭圍殲，克拉蘇被俘斬首。在這場戰役中，古羅馬軍團幾乎全軍覆沒，只有克拉蘇的長子普布利烏斯率領一支六千多人的隊伍成功突圍。之後，這支古羅馬軍隊卻神祕地消失了，成為羅馬史上的一個謎團。

新華社資深記者李希光先生撰文稱，國際史學界近年來有人推測，這支古羅馬軍隊最後逃到中國的甘肅永昌縣落戶，並在此地建造了一座「古羅馬城」。這又是怎麼一回事呢？

原來，在中國黃河以西有一條被稱為「河西走廊」的橫貫中亞的咽喉要道，而永昌縣便位於河西走廊的東段，是這條道路上的一個重鎮。一九六八年，當地群眾在該處修建水庫時，發現了一座古城遺跡，內有石臼、鐵刀、銅釦、鐵犁、陶罐等生活及生產工具。出土的鐵鐘殘塊上還刻有文字，但銹蝕不清，無法辨認。一些外國學者考察後，認為這座古城是由古羅馬人建造的。而根據出土文物並參考有關記載，此城應為漢武帝執政時期所置。令中國學者吃驚的是，永昌在漢武帝時稱做驪靬，而在《史記・大宛列傳》中「驪靬」又是對古羅馬的稱呼。綜合來看，這似乎並不僅僅是一種巧合。

除此之外，支持「古羅馬城」之說的人還有一個依據：在《史記・匈奴列傳》和《漢書・地理志》中，有關於「魚鱗陣」的描述。據考證，這種陣式就是古羅馬士兵手持盾牌組成的方陣。因此，有人便認為這座古城很可能就是那些突圍的古羅馬軍團逃到此處後建造的。

但是，並非所有的人都同意這樣的觀點。有的學者認為，漢武帝時期曾有犂靬眩人(一種雜技家或魔術師)來漢獻技，於是漢武帝便在在河西走廊設「驪靬縣」，其目的是取朝廷「威德遍於四海」之意，而並不是對古羅馬的稱呼。有的學者則認為，「驪」來源於古埃及的城市名——亞歷山大的第二和第三個音節，曾被中國人用來稱呼古羅馬。而亞歷山大直到西元前三十年才被古羅馬佔領，在此之後，驪才被用來指代古羅馬。因此，驪的建立遠早於假定的古羅馬軍團落戶於此的時間。還有的學者提出，永昌縣的特殊地理位置決定了其人員組成的複雜性，不同民族的人都曾在這裡混雜融合，如果沒有找到確切的證據，就無法說明古羅馬軍團曾落戶於此地。

突圍的那支古羅馬軍隊究竟逃亡何處？之後他們又過著怎樣的生活？希望不久的將來，學者和科研人員能夠為我們找到確定的答案。

西班牙「無敵艦隊」覆滅之謎

十六世紀中後期，為了保障自己的海上霸權，西班牙建立了一支擁有一百多艘戰艦、三千餘門大炮、數以萬計士兵的強大海上艦隊，號稱「無敵艦隊」。這支艦隊最盛時，艦船曾達千餘艘。

當時，英國正處於資本主義萌芽時期。輕工業的發展，艦船製造和航海技術的革新，使野心勃勃的英國迫不及待地投入到殖民地的爭奪中。但是，苦於海軍實力的差距，英國只能依靠海盜頭子德雷克、霍金斯等人組織的海盜集團在海上襲擊、攔劫西班牙運載金銀的船隻。

一五八八年八月，西班牙和英國在英吉利海峽開戰。然而，這一場實力懸殊、勝負幾乎毫無懸念的戰爭，卻以「無敵艦隊」的全軍覆沒而告終。這究竟是為什麼呢？

國家實力衰退說

一些學者從國家實力對比的角度，提出了自己的觀點。他們認為，十六世紀的西班牙雖然盛極一時，其殖民地和海外貿易遍及亞、非、歐和美洲大陸，但這種繁榮僅僅是表面現象。當時，西班牙國王腓力二世進行專制統治，搜刮民財，揮霍無度，連年征戰，激起了民憤，使得國內危機四伏。在這樣的背景下，看起來威風凜凜的「無敵艦隊」，實際上內部早已千瘡百孔、不堪一擊了。

指揮失當說

也有學者認為，「無敵艦隊」的覆滅是由於西班牙國王用人不當造成的。腓力二世原本任命當時西班牙最有實力的海軍宿將克魯茲上將為艦隊總司令，不料克魯茲上將卻突然死亡。腓力二世只好派米地拉·西頓尼亞公爵接任艦隊司令。西頓尼亞出身貴族家庭，對指揮作戰並不熟悉，幾乎沒有海戰經驗，甚至還暈船。對這項任命，他也沒有做好思想準備，他曾要求腓力二世另請高明，但沒有獲得批准。

而英國當時任用的是海盜出身、航海經驗豐富並且作戰指揮能力卓越的德雷克與霍金斯，兩人分任正副司令。德雷克曾在麥哲倫之後進行了第二次環球航行，他也是世界歷史上第一個活著完成環球航行的航海家。

天　災　說

還有學者認為，天災才是「無敵艦隊」覆滅的主要原因。首先，艦隊起航的時間選擇不當。艦隊在五月起航，當時的大西洋風險浪惡。起航不多久，艦隊就遇到了大風暴。在進入柯魯拉避風時，他們又發現很多食物腐爛變質了，淡水也漏掉了許多，船隻普遍需要修補，很多人生病，大多數步兵也因為暈船而無法戰鬥。種種原因導致這支「無敵艦隊」還未與敵人正面交鋒，就損失了不少戰鬥力。

在這樣的條件下，西頓尼亞仍舊堅持與英軍開戰，導致了艦隊的慘敗。戰敗回國時，艦隊在蘇格蘭北部海域再次遇到大風暴，一些艦船又被海浪吞噬或觸礁沉沒，「無敵艦隊」最終全軍覆沒。後來，腓力二世也無可奈何地對天嘆道：「我派『無敵艦隊』是去和英國人作戰，而不是去和海浪作戰的。」

以上種種解釋可能都是「無敵艦隊」覆滅的原因，無論主次，都導致了同樣的結果，那就是英國開始掌握海上霸權，並最終憑藉其海軍實力成了世界上擁有殖民地最多的「日不落」帝國。

腓力二世

西班牙國王腓力二世是神聖羅馬帝國皇帝查理五世的兒子，他執政的時期是西班牙歷史上最強盛的時代。他雄心勃勃，試圖使西班牙成為一個天主教大帝國。然而，他發動的無休止的軍事行動使西班牙支出了巨額的軍費，並引發了財政危機，以至於在一五五七年、一五七五年和一五九八年，腓力二世三度宣布國家破產。腓力二世去世後，西班牙很快衰落了。

「巴巴羅薩」空戰戰果之謎

一九四〇年七月，德國納粹頭子希特勒召開了一次高級軍事會議，宣布了一個作戰計畫：突襲蘇聯，一舉將蘇聯摧毀。一九四一年六月二十二日，德國突然不宣而戰，以一百九十個師，五千一百架飛機，大舉進攻蘇聯。德軍就像在進行軍事演習一樣，十分順利地實施著「巴巴羅薩計畫」，而蘇聯方面則毫無防備。德軍航空兵對蘇聯西部的重要城市、交通樞紐、陸海空軍基地及部隊營房施以毀滅性轟炸，致使蘇聯幾乎完全癱瘓。

二戰時期德軍飛機模型

如今，我們暫且不去討論「巴巴羅薩」空戰的經過如何，又有多麼的血腥，只是單單來討論一個問題——

蘇聯空軍在「巴巴羅薩」空戰中究竟損失了多少飛機？因為，這場戰爭結束後，兩國對於這個數據的統計有很大的差異。

首先是德軍。「巴巴羅薩」空戰僅僅二十四小時後，德軍的四個航空隊就向德國空軍總司令赫爾曼・戈林報告，說德國空軍轟炸機炸毀了來不及起飛的蘇軍飛機一千四百八十九架，德軍戰鬥機及高炮部隊擊落了已升空的蘇軍飛機三百二十二架，共計一千四百八十九架。

然而，這個數據就連戈林也無法相信，因為一來他無法確定在短短的二十四小時之內，德軍能取得如此成果，二來他知道德國軍官好大喜功，這個數據難免會有虛假的成分在裡面。於是他下令四個航空隊重新核實戰果，嚴令禁止虛報戰功。

另一方面，戈林又祕密命令空軍總司令部的軍官們分別到各個已被佔領的蘇軍機場依據飛機殘骸進行統計調查。不久，調查的結果出來了：德軍在「巴巴羅薩」空戰中擊毀蘇軍飛機的具體數字已難以統計，但肯定是在二千架以上。

再來看蘇聯方面。在「巴巴羅薩」空戰結束以後，蘇聯空軍並沒有立即公布其損失的飛機總數。直到二戰結束以後，蘇聯國防部才在《蘇聯偉大衛國戰爭史》一書中稱，蘇聯空軍在「巴巴羅薩」空戰的第一天損失飛機一千二百架，其中八百架以上是在地面上被炸毀的。

如此一來，差異就很明顯了，德國和蘇聯公布的被毀飛機的數量竟然相差了六百架至八百架，這在當時相當於一個中等國家所擁有的飛機總數了。

那麼，在「巴巴羅薩」空戰中，蘇聯究竟損失了多少飛機呢？如今距離「巴巴羅薩」空戰已有近七十年的時間了，也許，這個問題會永遠成為一個謎。

希特勒為什麼要血洗衝鋒隊

一千二一年八月三日，德國納粹黨成立了一支名為衝鋒隊的武裝恐怖組織。這支衝鋒隊曾發誓「心甘情願地追隨領袖」，為納粹黨效力。他們也的確做到了這一點。在為希特勒效力的十多年間，衝鋒隊保護納粹集會，搗亂其政敵的組織活動，破壞工人運動，對反納粹者實行恐怖打擊。可以說，衝鋒隊是納粹黨的政治資本和堅強的後盾。然而，就是這樣一支為納粹黨立下過汗馬功勞的隊伍，仍然逃不過希特勒的血腥屠殺。

一九三六年六月三十日，希特勒下令槍決了包括參謀長羅姆在內的一百五十多名衝鋒隊頭目。究竟是什麼原因促使希特勒對自己人下此毒手呢？研究者們經過不少的探索與研究後，大致總結出以下四點原因：

一、希特勒過河拆橋。衝鋒隊成立之初的職責就是為納粹黨衝擊政治對手的集會，他們毆打共產黨員和社會民主黨員，為希特勒登臺開道。但是，一旦納粹黨成功掌控國家之後，他們就沒有存在的必要了，甚至還有可能成為一種不安的因素。因為衝鋒隊是一種既非軍隊又非警察的武裝力量，他們既無法代替國防軍保障國家安全，也無法代替警察維護社會治安。所以在希特勒的眼中，他們就必須消失，無論用什麼方法。

二、希特勒和衝鋒隊頭目羅姆之間有著無法化解的矛盾。羅姆及衝鋒隊以「國家社會主義革命」先鋒自居。希特勒掌權後，羅姆及衝鋒隊期望德國國會推行擴大工人的控制權，沒收舊貴族的田產然後再分配等政策，以便為衝鋒隊帶來更大的權力和利益。但是希特勒為了取得那些擁有政權的商界人物的支持，便明確拒絕了羅姆的要求。為此，羅姆曾經公開批評過希特勒，這就為希特勒日後屠殺衝鋒隊埋下了隱患。

三、衝鋒隊與黨衛隊的鬥爭。黨衛隊原本是衝鋒隊的下屬組織，是希特勒的衛隊和對付政敵的工具。一九三〇年，黨衛隊基本上從衝鋒隊獨立了出來，又因其紀律嚴明、組織性強，受到希特勒的偏愛。黨衛隊首領希萊姆對羅姆有偏見，不斷在希特勒面前挑唆，甚至使希特勒相信「羅姆要發動政變」，從而促使希特勒下定決心要屠殺衝鋒隊以絕後患。

四、國防軍與衝鋒隊的矛盾不可調和。衝鋒隊本來被德國陸軍看做是後備軍，但隨著其規模的不斷膨脹，羅姆的野心也越來越大，他甚至希望衝鋒隊能取代國防軍。這就使國防軍不能再容忍他。希特勒在權衡利弊後，決定犧牲衝鋒隊，以此取得國防軍的全力支持。

雖然，以上四點都是希特勒血洗衝鋒隊背後的原因，但是最終促使他下定決心的又是哪一點呢？這個問題仍值得我們去研究和探索。

誰擊斃了山本五十六

山本五十六是日本海軍將領、聯合艦隊總司令。他原本姓高野，因他出生的那一年他的父親已經有五十六歲了，所以給他取名五十六。後來，五十六成為山本帶刀的義子，便正式改名為山本五十六。一九四一年，日本聯合艦隊遵照山本五十六的命令，成功襲擊了美國海軍太平洋艦隊在夏威夷的基地珍珠港。之後，山本五十六想要迅速摧毀美國在太平洋的主力，因此又制訂了中途島計畫。然而，這一計畫卻被美國海軍密碼破譯部門成功破解，最後，日本參加戰鬥的四艘大型航空母艦全部被擊沉。

雖然中途島戰役的失敗阻礙了日軍的推進，但日本海軍仍擁有相當的實力。於是山本五十六又制訂了「FS 作戰計畫」，將注意力轉向瓜島上的機場，試圖重新獲得戰爭的主動權。此時，美國派出海軍陸戰隊主動出擊，突襲了瓜島，並將該處的日軍擊潰。瓜島戰役失敗後，山本五十六決定於一九四三年四月十八日早上前往南太平洋前線視察，以鼓舞士氣。然而，他這次行程的詳細信息早已被代號為「魔術」的美國海軍情報部門截獲並破譯。美國總統富蘭克林·羅斯福立即命令海軍部長弗蘭克·諾克斯「幹掉山本」。有十八位美軍飛行員被告知即將攔截一名「重要的高級軍官」，但他們並不知道對方的具體姓名。

四月十八日早晨，山本五十六準時起程。不久，日美雙方的飛機編隊在空中遭遇。最終，山本五十六乘坐的飛機被擊落，他本人當場斃命。那麼，究竟是誰擊落了山本五十六呢？

山本五十六像

據說，當時有兩架美軍戰鬥機一起擊落了一架舷號為T1-323的日軍飛機，後來證實那就是山本五十六的座機。兩架戰鬥機的駕駛員分別是托馬斯·蘭菲爾和列克斯·巴伯，兩人都聲稱是自己擊中了山本五十六的座機。事實上，後來據日本搜救隊隊長濱砂回憶說，山本五十六身上有兩處槍傷：一發子彈自身後穿透他的左肩，另一發子彈從他的下頜左後方射入，從右眼上方穿出。那麼，向山本射出致命一擊的究竟是托馬斯·蘭菲爾還是列克斯·巴伯呢？

由於當時美軍的戰鬥機上沒有安裝照相槍(軍用飛機上記錄射擊效果的小型攝影機)，所以就沒有辦法考證兩人的陳詞。再加上美國當時並沒有立即公布此次軍事行動，直到幾年後，二戰結束後才公布，所以這個問題的答案就無從知曉了。

藏在文化背後

人類創造了文化，

卻無法完全把握它；

人類沉迷於文化，

卻難以看清真實的它。

只因為，

懸念藏在它那光輝的表面之後。

探索，是唯一解開謎團的途徑。

神龍之謎

古時候，在中國人民的心目中，龍是神聖與高貴的象徵。因此，皇帝被稱為「天龍」，皇子皇孫則被稱為「龍子龍孫」。而「葉公好龍」、「畫龍點睛」、「屠龍之技」等與「龍」有關的典故或故事更是不少。可是，自古以來，我們卻只能從圖文中了解到「龍」——一種有著蛇身、蜥腿、鷹爪、鬣尾、鹿角、魚鱗，口角有鬚，頷下有珠的「神」；它是海中的霸主，能騰雲駕霧、施雲布雨。然而，誰也沒有親眼見過「龍」。這個世界上真的存在著「龍」嗎？

在經歷了長期的研究和考證後，人們終於取得了一個較為一致的認識：龍是多種動物的綜合體，是中國原始社會形成的一種圖騰崇拜的標誌。

早在八千多年前，人們對許多自然現象無法作出合理解釋，便希望自己民族的圖騰具備風雨雷電那樣的力量，群山那樣的雄姿，能像魚一樣在水中游弋，像鳥一樣在天空飛翔。因此，人們就將許多動物的特點都集中在龍身上。

在以後的幾千年裡，人們在原有圖騰的基礎上不斷地豐富發展，最終形成了我們今天所認識的龍。可是，在對龍的主體原型的探討上，學者們卻產生了分歧。有的說龍的主體原型是鱷魚，有的說是蜥蜴，還有的說是馬。但普遍認同的龍的主體原型還是蛇。最初系統地提出這一見解的是聞一多的名篇《伏羲考》。聞一多認為，龍即大蛇，蛇即小龍。蛇氏族兼併別的氏族以後，「吸收了別的形形色色的圖騰團族(氏族)，大蛇這才接受了獸類的四腳、馬的頭、鬣的尾、鹿的角、狗的爪、魚的鱗和鬚」，而成為後來的龍。

雖然，關於龍的主體原型是什麼這個問題，人們還沒有較為統一的解釋。但是，這卻阻止不了中華兒女對龍的喜愛與崇拜之情。相信龍文化會一直在中國傳承下去。

葉公好龍

春秋時期，有個人稱葉公的人非常喜歡龍。在他的房間裡，到處都是龍飾。因此，葉公便因愛好龍而名傳四方。

天上的龍聽說葉公喜歡龍，便決定下到人間向葉公致謝。一天，天龍來到葉公家屋頂，把頭伸進窗口，尾巴不停地搖動。葉公定睛一看，面前是一條真龍，頓時嚇得面如土色，魂飛魄散，奪門而逃。

原來，葉公並不是真的喜歡龍，他喜歡的不過是畫在牆上、器物上的假龍而已。

鳳凰的原型是什麼

傳說有一種神鳥，它每五百年就要背負著人世間所有的仇恨恩怨，投身於熊熊烈火中自焚，以生命和美麗的終結換取人世間的祥和與幸福。在肉體經受了巨大的痛苦和輪迴後，它將以更美好的軀體得以重生。這種神鳥就是鳳凰。

然而，在中國文化史上佔據重要地位的鳳凰的原型究竟是什麼？對此，專家們的看法不一。

有人說鳳凰是鴕鳥，也有人說鳳凰是某種早已滅絕的巨鳥。但是，細加考辨後便會發現，鴕鳥原本就不是產自中國；說它是某種早已滅絕的巨鳥，也欠具體的實證。因此，它們都不可能是鳳凰的原型。目前，對於鳳凰原型的爭論，比較傾向於兩類，即孔雀和雉類。

說孔雀是鳳凰原型的學者認為，鳳凰與孔雀的外形相似，依據就是《爾雅・釋鳥》中的記載：「鶠鳳其雌皇。」而晉代郭璞在對其注釋時說，鳳凰「雞頭，蛇頸，燕頷，龜背，魚尾，五彩色，其高六尺許」。可見，鳳凰和孔雀在形態上是極其相似的。

既然鳳凰的原型是孔雀，那麼古人為何極少將兩者聯繫在一起呢？於是，更多的人則認為，鳳凰的原型是雉類，即俗稱的山雞、野雞、錦雞等。而且，在雉類中，有著長長尾羽的長尾雉在外形上的確和鳳凰十分相似。但是，中國長尾雉的體型卻明顯小於傳說中的鳳凰，這又是為什麼呢？

冠青鸞

近年來，有人發現了一種生長在中國西南與越南北部的名叫冠青鸞的極為珍稀的鳥類，與傳說中鳳凰的飄逸模樣十分神似，更有人乾脆稱牠們為「鳳凰」或「鸞鳳」。

儘管目前對鳳凰的原型還沒有定論，但鳳凰這一作為美好珍貴事物和特有的歷史文化象徵的禽鳥形象，將成為中華民族心中永遠的珍愛。

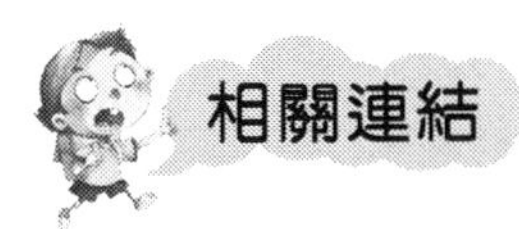

鳳 與 凰

鳳凰和麒麟一樣，是雌雄統稱，雄為鳳，雌為凰，其總稱為鳳凰，但叫鳳凰的時候均代表雌性。

相傳，西漢辭賦作家司馬相如就曾以一曲《鳳求凰》贏得了才女卓文君的欣賞。因此，「鳳求凰」又被用來比喻男子追求女子，也象徵人們對美滿幸福姻緣的向往和歌頌。

「桃花源」在哪裡

晉代詩人陶淵明在千古名作《桃花源記》中，描繪了一個自由安樂的理想社會，那「芳草鮮美，落英繽紛」的桃源風光尤其令人神往和稱羨。

「桃花源」是否真的存在？如果存在，它又在哪裡呢？

湖南桃源縣說

湖南桃源縣西南十五公里的水溪，景色綺麗，自古就被人認為是陶淵明筆下的桃花源。從唐代開始，就有人在桃源縣建寺觀。宋代，此地香火旺盛。元末，寺觀毀於大火。明代景泰六年(一四五五年)，明政府又在此建造了殿宇，明末又毀於大火。直到清代光緒十八年(一八九二年)，又修了「淵明祠」，並順著山勢以陶淵明詩文裡的內容命名所建造的觀、祠、亭、洲，諸如「桃花觀」「探月亭」「水源亭」等景點。

宿城地區說

也有人認為，桃花源在江蘇連雲港市的宿城山坳。那裡三面環山，一面向海，除了翻越虎口嶺，與外界無路可通。這樣一個天然的堡壘，中間卻是一片坦蕩美麗的川原。這樣的世外樂土，與陶淵明在《桃花源記》中描繪的景象十分相似。更重要的是，詩人陶淵明曾親自到過這個地方。他在著名的《飲酒詩》裡寫道：「在昔曾遠遊，直至東海隅。」根據《晉書・地理志》的記載，「東海隅」正是處於東海一角的宿城山坳。

武陵苗寨說

有學者認為，《桃花源記》所描繪的美好社會生活圖景，是當時武陵地區的苗族社會的寫照。而武陵地區苗族人民素有的對桃樹的崇拜以及見客人「便邀還家，設酒殺雞作食」等習俗，都能很好地證明桃花源所指的是武陵地區的苗族聚居地。

到目前為止，「桃花源」究竟在哪裡，還沒有定論。

木牛流馬之謎

三國時期的諸葛亮為了保證軍糧的供應，研製了出木牛流馬(流馬也是木製的，「流」有移動之意)，載重量為「一歲糧」(約二百千克)，每日行程為「特行者數十里，群行二十里」。木牛流馬的發明為蜀國解決了在崎嶇蜀道上運輸軍糧的難題。這個「木牛流馬」到底是什麼東西，又是什麼樣子的呢？

古蜀棧道

很多史書都認為，木牛流馬是一種木製獨輪小車，漢代稱為「鹿車」，經諸葛亮改進後稱為「木牛流馬」。其確鑿佐證是成都羊子山二號漢墓出土的「駢車」畫像，其右下角有一人推獨輪小車的形象。因為獨輪車不用牛馬，一個人就能推走，也就是「不吃草的牛」(木牛)和「不吃草的馬」(流馬)，故稱「木牛流馬」。但這種解釋有欠妥之處，因為獨輪車機械原理十分簡單，何勞「長於巧思」的諸葛亮親自研製？

自動機械

還有一些研究者認為，木牛流馬是一種奇異的自動機械。在三國時代，運用齒輪原理製作的機械已屢見不鮮。

《南史・祖沖之傳》中曾說，祖沖之「以諸葛亮有木牛、流馬，乃造一器，不用風水，施機自運，不勞人力」。可見祖沖之是親眼見過木牛流馬的，又因受其啟發，創造出一種自動機械，比木牛流馬更勝一籌。由此可知，木牛流馬一定是利用齒輪原理製造的自動機械，否則祖沖之是不會拿它來作參考製作機械的。可惜的是，此論也缺乏確鑿的論據。

特殊的獨輪車

學者陳從周等人實地勘察川北廣元一帶的古棧道遺跡後，提出新觀點：木牛有前轅，行進時人或畜在前面拉，還有人在後面推，有車輪架，車身長四尺，寬近三尺；流馬構造與木牛大致相同，但沒有前轅，行進時不用拉，僅靠人推，車身狹長，車形似馬。也許木牛流馬只是一個虛構的物品，但是在謎團尚未揭開之前，誰也不能否認它的存在。

「麻沸散」之謎

古代名醫華佗曾創製麻沸散，並成功地將其應用於外科大手術中。據《三國志》記載：「若病結積在內，針藥所不能及，當須刳割者，便飲其麻沸散，須臾便如醉死無所知，因破取。病若在腸中，便斷腸湔洗，縫腹膏摩，四五日差，不痛，人亦不自寤，一月之間，即平復矣。」然而，這種約一千八百年前就已經做到了的麻醉技術，在醫學昌明的今天卻沒有人能做到。到底有沒有麻沸散這種麻藥呢？至今仍是眾說紛紜。

麻沸散真的存在嗎

後世有些人認為，麻沸散可能屬於子虛烏有的一類藥物。因為《三國志》不是醫書，而當時的醫家又都沒有留下關於麻沸散的記錄。尤其是與華佗同時期的另一位名醫張仲景在他的著作中也沒有提到麻沸散這種藥物。華佗的學生吳普，專攻藥物學，著有《吳普本草》(已失傳)。從後人引用該書的內容中，也未見提到麻沸散。

但是，更多的人則認為：麻沸散的確存在。因為據《列子・湯問》記載，早在戰國時代，扁鵲就使用過麻醉藥。馬王堆出土的《五十二病方》，是比《內經》還要早的醫藥著作，裡面就已提到用刀割治內痔、外敷以藥的外科治療手段。因此，發展到數百年後的三國時代，華佗能研製出麻沸散是完全有可能的。

麻沸散的組成

說到麻沸散的構成，情況就比較複雜了。張仲景的著作中沒有記載麻沸散，只提到「麻沸湯」。這裡「麻沸」二字，是「如亂麻而沸湧」的意思。所謂麻沸湯在當時是一種熱湯的名稱，它的配方和麻沸散並沒有關係。

宋代時有人認為麻沸散可能是由曼陀羅等含毒藥物配製而成。李攸在《宋朝史實》中記載有：「置曼陀羅花酒中，既昏醉……盡擒殺之。」據記載，宋以後的元代名醫危亦林也常用曼陀羅花做麻醉藥。另有一說，據近人著作《後漢書華佗傳補注》記載：「麻沸散方：羊躑躅，當歸，茉莉花根，石菖蒲。」至於此方究竟是否符合麻沸散原方，就不得而知了。

「昆侖奴」之謎

唐代裴氏小娘子墓中的黑人陶俑

出土於唐代裴氏小娘子墓中的黑人陶俑為我們提供了唐朝時來到中國的黑人的直觀形象：皮膚黝黑、頭髮卷曲、臉扁平、鼻梁平坦、嘴唇肥厚、眼白明顯。據說，唐朝時來到中國的黑人被稱為「昆侖奴」。昆侖奴來自何方？又是如何來到中國的呢？他們在中國的命運又是如何呢？

何以為「昆侖」

一種說法認為，「昆侖」就是指「昆侖國」。那麼，昆侖國又在何方呢？一位法國的漢學家曾對中國古代文獻中關於「昆侖國」的記述進行了統計，發現竟有如下多種說法：廣西附近的昆侖關，恒河以東及馬來群島，荼陵東南的占筆羅或占不牢島，緬甸、馬來半島、蘇門答臘、爪哇等地的昆侖國，南海附近的昆侖國，非洲東岸以及馬達加斯加島……

可是「昆侖奴」的故鄉「昆侖國」到底在哪裡呢？根據許多學者的研究成果和現代地理圖誌的驗證，可以確定「昆侖」既不是指中國古代西域昆侖山下的「昆侖國」，也不是指今廣西、福建等地的昆侖山，而是外國語的譯名或譯音。它應該是指南海諸地的「昆侖」，或是非洲東岸的馬達加斯加島等若干地區的代稱。

另一種說法認為，「昆侖」並不是地名，它只不過是用來形容黑色或近似黑色的東西的一個詞語。例如，在隋代有一種黑紫色的酒叫做「昆侖觚」；茄子在當時有「昆侖紫瓜」的外號。當然「昆侖」一詞也被用來形容人的皮膚呈黑色，例如，晉代孝武李太后皮膚偏黑，當時的人們就稱她為「昆侖」。

「昆侖奴」如何來到中國

除上面介紹的出土的黑人陶俑外，唐代詩歌、典籍裡也有關於黑人的描述。如杜甫有詩說：「家家養烏鬼，頓頓食黃魚。」據說這裡的烏鬼就是指非洲黑人。張籍有一首《昆侖兒》的詩描寫得更為詳細：「昆侖家住海中州，蠻客將來漢地遊。言語解教秦吉了，波濤初過鬱林洲。金環欲落曾穿耳，螺髻長捲不裹頭。自愛肌膚黑如漆，行時半脫木綿裘。」種種證據都表明，唐代時確實有非洲黑人生活在中國。

這些非洲黑人是如何輾轉來到中國的呢？學者們經過多方查證得出初步結論：非洲黑人是由阿拉伯人販賣到中國來的。關於具體的輸入路線有兩種說法：一種說法是，阿拉伯人到非洲將黑人掠到阿拉伯國家後，經絲綢之路轉運到中國；另一種說法是，阿拉伯人把黑人騙到西亞，再通過海路賣到南海諸國，最後再由南海諸國轉送至中國。

他鄉境遇

「昆侖奴」在中國的境遇又如何呢？既然被稱為「奴」，黑人在唐朝肯定是奴隸的身分，這從杜甫的詩中就能體現出來。《太平御覽》中還記述了一個「昆侖奴」憑自己的勇敢和智慧幫助主人與心愛的女子相會，最終促成了一樁美滿姻緣的故事。從這則故事中我們可以看到，唐代時「昆侖奴」的身分雖然是奴隸，但他們並沒有受到太大的歧視。

至於「昆侖奴」真實的境遇如何，目前還沒有發現詳細、準確的文字描述。

相關連結

絲綢之路

絲綢之路是西漢(西元前二〇二年至西元八年)時，由張騫出使西域開闢的以長安(今西安)為起點，經甘肅、新疆，到中亞、西亞，並聯結地中海各國的陸上通道。因為由這條路西運的貨物中以絲綢製品的影響最大，故得此名。

《蘭亭序》真跡下落之謎

書法大家王羲之的《蘭亭序》又名《蘭亭宴集序、》《蘭亭集序》，是中國十大傳世名帖之一，亦被歷代書法家推為「天下第一行書」。這幅作品字體瀟灑流暢，氣象萬千，其中二十多個「之」字，千變萬化，無一雷同。如此絕世佳作，卻在歷史的潮流中流失。那麼，《蘭亭序》的真跡如今又在何處呢？

相傳，唐太宗李世民特別喜愛王羲之的書法作品。他聽說王羲之的書法珍品《蘭亭序》輾轉到了一個名叫辯才的和尚那裡，便多次派人去索取。可辯才和尚卻始終推說不知真跡下落。

李世民見硬要不成，便改為智取。他派監察御史蕭翼裝扮成書生模樣，去與辯才接近，尋機取得《蘭亭序》。蕭翼對書法也很有研究，他和辯才和尚談得很投機。待兩人關係密切之後，蕭翼故意拿出幾件王羲之的書法作品給辯才和尚欣賞。辯才看後，不以為然地說：

「真倒是真的，但不是最好的，我有一本真跡倒不差。」蕭翼追問是什麼帖子，辯才神祕地告訴他是《蘭亭序》的真跡。蕭翼故作不信，說此帖早已失蹤。於是，辯才從屋梁上取下真跡給蕭翼欣賞。蕭翼一看，果真是《蘭亭序》真跡，隨即將其納入袖中，同時向辯才出示了唐太宗的「詔書」。辯才此時方知上當。

李世民取得《蘭亭序》真跡後，奉為至寶，經常放在座側，朝夕觀覽鑒賞，多次題跋，並讓太子李治用心臨習。李世民臨終時對李治說：「我死後，你只要把《蘭亭序》裝匣放進我的墓室中，就是盡最大的孝道了。」後來，李治照辦了，將《蘭亭序》隨葬昭陵。

唐末五代的軍閥溫韜在任陝西關中北部節度使期間，盜挖唐帝陵墓，李世民的昭陵自然難以倖免。難道真跡果真落於溫韜之手？如果《蘭亭序》的真跡被溫韜鑿陵盜出，為何迄今千餘年來從未見它流傳於世？

對此，有人認為，史書雖然記載溫韜盜掘昭陵，發現了王羲之的書法真跡，但是並沒有指明其中包括《蘭亭序》，而且此後也從未見有其真跡流傳和收錄的記載。溫韜盜墓匆忙草率，未全面、仔細清理墓中物品，真跡很可能仍藏於昭陵墓室中更隱祕之處。

《清明上河圖》之謎

《清明上河圖》是北宋書畫家張擇端的傳世名作，也是中國十大傳世名畫之一。它生動地記錄了十二世紀中國城市生活的面貌，畫中有八百多人、牲畜八十三匹、船隻二十九艘、房屋樓宇三十多棟，往來人物衣著各不相同，神情各異，栩栩如生。這在中國乃至世界繪畫史上都是獨一無二的，因此它被列為國家一級文物。但是，學術界對於其畫名中的「清明」與「上河」二詞的含義卻頗有爭議。

清明節說

古今許多學者，包括已故文物鑒定專家鄭振鐸先生，都認為「清明」指的是清明節。鄭振鐸說：「時節是清明的時候，也就是農曆三月三日，許多樹木還是禿枝光杈，並未長葉，天氣還有點涼，可是嚴冬已經過去了。」這樣，把「三月三日」這個具體的日子也確定了下來。又如《中國古代美術作品介紹叢書・清明上河圖》一書中，也肯定這幅畫是在描繪「清明節這一天城郊人民的種種活動」。

清明上河圖(部分)

清明坊説

河南開封已故中學教師孔憲易先生於一九八一年發表了《〈清明上河圖〉的「清明」質疑》一文，他透過對畫面中木炭、石磙子、扇子、西瓜、服飾等細節的考證研究，認為這幅作品畫的是秋景，而不是早春之景。「清明」之意實際是指「清明坊」——當時北宋的東京城劃分為一百三十六坊，外城東郊區共劃分三坊，第一坊就是清明坊。所以，他認為這幅畫畫的是清明坊一帶的景致。

「上河」之爭

那麼，《清明上河圖》中的「上河」指的是什麼呢？長期以來，專家學者對這個問題也是眾說紛紜。有人認為「上河」是指「河的上游」，有人認為「上河」即「上墳」的意思，還有人認為「上河」是「上街趕集」的意思。總之，《清明上河圖》的名稱究竟有何寓意，人們至今還沒有形成統一的意見。

華表的用途之謎

華表是中國的一種傳統建築物，有著悠久的歷史，已經成為中華民族的象徵之一。

在天安門前就有一對華表，在那挺拔的柱身上，雕刻著精美的龍和雲，柱頂上部橫插著一塊雲形的石板。遠遠看去，柱身好像直插雲間，給人一種莊嚴的感覺。我們不禁要問，古人為什麼要建造華表？華表究竟有什麼用途？

作為標誌的立柱

一般認為，華表是古代建築物中用於標誌的一種立柱。相傳在中國堯舜時代，人們就在交通要道豎立木柱，作為行路時識別方向的標誌。這種標志叫做「桓木」或「表木」，後統稱為「桓表」。又因古時的「桓」與「華」音相近，所以人們就慢慢地將其讀成了「華表」。

納諫的「謗木」

還有一種說法認為，上古時期華表名為「謗木」。相傳遠古賢王堯和舜為了接納天下人的諫言，在交通要道和朝堂上樹立木柱，讓人在上面寫諫言，也就是鼓勵人們提意見。

晉代崔豹在《古今注・問答釋義》中就曾提到過這件事，他所描述的華表的形狀與今天天安門前的華表形狀大致相同。只是華表的「謗木」作用已經消失，而是成為了象徵皇權的一種特殊建築。

遠古部落的圖騰

另一種意見認為，華表起源於中國遠古時代原始部落的圖騰崇拜。遠古時的人們都將本民族崇拜的圖騰標誌雕刻在立柱上，對它視如神明，頂禮膜拜。柱頂的雕飾也因各部落圖騰的標誌而各異。如天安門前的華表上蹲著一頭怪獸，非獅非狗，頭望宮外，名為「望天犼」。民間傳說這種怪獸生性好望，讓它望著宮外，是讓它督促遠遊的皇帝不要迷戀山水，早作歸計，以理朝綱。學者們認為，這也是遠古圖騰的一種。

天文儀器

還有人認為，華表原是古代觀天測地的一種儀器。春秋戰國時就出現了一種天文儀器，叫「表」。人們立木為竿，以日影長度測定方位、節氣，並以此來觀測恒星，計算恒星年的週期。

古人在建築施工前，也用這種方法定位取正。一些大型建築因施工期較長，立表必須長期留存。為了堅固起見，常改立木柱為石柱。一旦工程完成，石柱也就成了這些建築物的附屬部分，久而久之就被作為一種建築形式保留了下來，成為宮殿、壇廟、寢陵等重要建築物的標誌，也就是華表。

總而言之，華表的用途是長期以來爭論不休的一個歷史文化之謎。

塔羅牌來源之謎

塔羅牌是西方國家古老的娛樂和占卜工具，現在仍然是流行的占卜工具。它一共有七十八張，由二十二張大阿卡那牌與五十六張小阿卡那牌組成，每張牌都有獨特的圖案和意義。

傳說每一張塔羅牌都有一個象徵，能指出人的內在思想、潛意識動機、隱藏的恐懼和渴望，以及人的個性、長遠運程和弱點。在你遇到難以解決的難題，求助於塔羅牌時，只要集中精神，塔羅牌便能給你提示，幫你決斷。許多人都篤信古老的塔羅牌具有神奇的力量。那麼它究竟起源於哪裡呢？

義大利說

現在所知的最早的塔羅牌大約出現在十四世紀末、十五世紀初的義大利。義大利的撲克遊戲 Tarocco 與塔羅牌發音近似，它有二十二張，也與塔羅牌的二十二張主牌相似。同時，義大利詩歌中經常歌頌的愛情、勝利、慈愛、死亡、名譽、命運和未來等含義與塔羅牌所包含的喻意類似。所以，塔羅牌源於義大利的說法得到了很多人的認同。但是，不少學者認為這些證據只能說明塔羅牌曾經在義大利出現過，而不能說明塔羅牌就起源於義大利。

吉普賽說

研究塔羅牌的學者認為，塔羅牌極有可能是吉普賽人由亞洲或非洲帶到歐洲的。吉普賽人以占卜為生，塔羅牌就是他們的一種占卜工具。不過，吉普賽人是一個四處流浪的民族，他們能發展出極有系統的塔羅牌哲學嗎？因此，有學者指出，吉普賽人的塔羅牌知識是從其他文明學習來的。

古埃及說

傳說在古埃及，法老們都是根據《叨忒之書》來做出各種決斷的。叨忒是埃及月神，司職文化教育，《叨忒之書》即是專門用來傳達天神旨意的神祕之書。古埃及滅亡時，為了不讓這本神聖的書落入異族手中，法老命人將其繪成卡片，交於神官手中。

這些卡片被流傳了下來，後來傳到了歐洲，在中世紀便形成了如今我們所熟知的塔羅。「塔羅」一詞，取自埃及語的 tar(道)和 ro(王)兩個詞，因此，「塔羅」本身就是指身為王者應該具備的正確決斷力，這也是這種占卜方式的起源。

還有人認為，在埃及亞歷山大城被毀後，摩洛哥的菲斯成為新的世界性學術中心，世界各國的學者都匯集於此。但是，使用象形文字的古埃及人和使用拼音文字的歐洲人無法順利交流。於是，聰明的古埃及人將文字和語言轉變成圖畫，作為交流的工具，這些圖畫進而演變成塔羅牌。

塔羅牌中的眾多象徵圖案來自埃及是不爭的事實，但考古學家指出，到目前為止發現的眾多古埃及文獻中，沒有發現任何關於塔羅牌的記載。

這些神祕的卡片究竟屬於哪一種古老的文化？它最初到底是用來做什麼的？至今我們依然不得而知。

古希臘雕塑為何大多都是裸體

《競技優勝者》、《擲鐵餅者》、《米洛斯的維納斯》《雅典娜神像》……我們在欣賞這些優美絕倫的古希臘雕塑時，心中難免會生出這樣的疑問：為什麼古希臘的雕塑大多都是裸體？

風　俗　論

有的學者研究後認為：古希臘的裸體藝術源於原始社會的裸體風俗。原始社會時期，生活在太平洋諸島、南洋群島和非洲地區的人們認為身體是大自然賜予給人類的，所以他們不僅不避諱裸體，反而以裸體為美，甚至還會刻意裝飾和顯示自己的外生殖器。

後來，歐洲也受到了這種風俗的影響。在舊石器時代的「奧瑞納」文化裡，就出現了法國魯塞爾洞的浮雕裸女和奧地利委連多爾夫的圓雕裸女。到了古希臘羅馬時代，裸體藝術則達到了一個頂峰，如著名的米洛斯的維納斯雕塑就是其中的一個傑作。

與戰爭和體育有關

還有人認為，古希臘的裸體藝術與戰爭和體育的盛行有關。三千年前的古希臘，由許多城邦組成。每個城邦都想要佔領其他城邦，因此戰爭連年不斷。由於那個時候的武器不是很先進，因此能否在戰爭中取得勝利在很大程度上取決於士兵是否有強壯的身體。所以，古希臘的人們，尤其是年輕的男子，為了守衛自己的城邦，就必須經常鍛煉身體。青年人大半時間都在做角鬥、拳擊、賽跑等訓練，目的是要練成一副最結實、最輕靈、最健美的身體。在這樣的環境之中，那些身材健壯、骨骼和肌肉都很結實的男子就被視為英

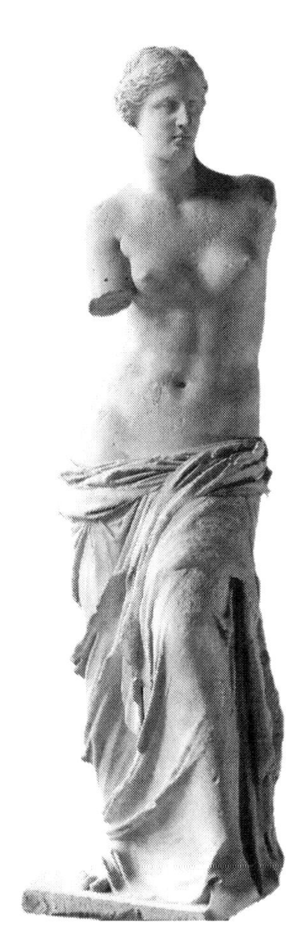

米洛斯的維納斯雕像

雄。

頻繁的戰爭還帶來了體育的盛行。在古希臘，孩子從會走路開始，就要接受體育訓練。不擅長運動的人，則被人看不起。為了展現完美的身體，城邦還組織運動競賽。在這些競賽中，運動員也大多是裸體的。美術學家阿爾巴托夫曾說過：「無論在希臘之前或之後，人們再也不能那樣單純無邪地去看待裸體了。」

由於裸體鍛煉和普遍的競技活動使雕刻家有機會觀察、研究，於是便形成了西方美術中崇尚人體美的藝術傳統。這種社會風氣和藝術實踐活動，促使了希臘的雕刻家們創造出空前高超的人體雕像。而在古希臘人的觀念中，神是最完美的人的化身，因此，古希臘的藝術家在創造神的形象時是以人間最完美的人體為範本的。於是，在古希臘的雕塑中，無論是真實的人體雕像還是神像，都是以裸體的形式出現的。

目前，學術界對於古希臘雕塑為何大多是裸體這一問題仍沒有統一結論。但是不管是以上哪一種原因，抑或是其他原因，古希臘的雕塑以其恢弘而博大的崇高感，體現了人們對美好生活的尋求。

維納斯的祕密

世界著名的盧浮宮博物館，將一尊斷了手臂的女性雕像——米洛斯的維納斯，視為鎮館三寶之一。的確，在古希臘神話中，女神維納斯代表著愛與美，但這尊雕像畢竟殘缺了手臂，那麼，它究竟有何魅力能讓人們為它如此著迷？

維納斯的魅力

米洛斯的維納斯也稱「斷臂維納斯」，它高二百零四釐米，由兩塊大理石拼接而成。兩塊大理石連接處也非常巧妙，是在身軀裸露部分與裹巾的相鄰處。雕像面部具有希臘婦女面部的典型特徵，那安詳自信的眼睛和稍露微笑的嘴唇，給人以矜持而富有智慧的印象，沒有絲毫的嬌豔、羞怯或造作之感。那半裸的姿勢，使整個形象產生巨大的魅力。由於下半身厚重穩定，使袒露的上半身顯得更加秀美。

如此美妙的雕像，又是從何而來的呢？

一八二〇年，一個叫岳爾戈斯的農民在愛琴海的米洛斯島上的一個山洞裡發現了一座倒塌的小廟堂。很快，他便在廟堂的沙土堆中發現了一座美女雕像。他小心地把雕像挖掘出來，發現它已失去了兩條手臂。

岳爾戈斯發現雕像的消息傳出後，立刻被當地的一位神甫購得。後來由於種種原因，雕像被輾轉送到了法國。一八二一年三月二日，法國的國王路易十八正式接受獻禮。從這一天開始，它便成為法國國家財產。當年法國獲得此雕像時，全國都沸騰了，人們視如國寶，有的人在欣賞時竟激動得流下了興奮的熱淚。人們不僅驚嘆於維納斯之美，也對它充滿了疑問和困惑。首先，人們急切想知道的是，斷臂之前的維納斯是什麼姿態？

斷臂之前

據說當初在米洛斯島發現這尊雕像時，維納斯還有一條手臂，手中拿著象徵選美勝利的金蘋果。但是，後來這條手臂卻不翼而飛了。幾百年來，不少藝術家作出種種猜測，提出許多修復方案，希望能為它補上各種姿勢的手臂。

德國考古學家福爾拖溫古拉設想：維納斯的左手伸向前方，小臂擱在一根柱子上，手掌裡握著一個金蘋果，而右手下垂，按住搭在下腹部的衣裙。還有一種較為流行的說法是：雕像左手前伸，握著一面盾牌，右手騰空略向下垂，但是，並沒有按住衣服，而它的前面站著愛神丘比特。有的設想是維納斯的一隻手自然下垂，另一隻手則拿著鮮花之類的物品，等等。甚至，還有人按照自己的設想嘗試著去為維納斯補上一雙手臂。但是，無論是什麼樣的手臂，安裝到維納斯的身上後，整座雕像反倒顯得不自然協調了。因此，斷臂不僅給這座雕塑籠罩上了一層神祕的色彩，也增添了它的殘缺美。

出自誰人之手

學者們認為，這尊雕像的臉型酷似西元前四世紀古希臘著名雕塑家普拉克西德雷斯的作品《克尼德斯的維納斯》，正因如此，有人斷定米洛斯的維納斯的創作者就是普拉克西德雷斯。後來，人們在這座雕像的基座上發現了銘文：「美安德羅河畔、安屈克亞的阿歷山德羅斯作」。經過專家的解讀和確認，認為這座雕像是古希臘時期雕刻家阿歷山德羅斯的作品。從銘文的書體看，應當是西元前一〇〇年左右的作品。

文學作品中的維納斯

莎士比亞為維納斯撰寫過一首長詩，描述維納斯的戀愛故事。據說，維納斯喜歡上一個名叫厄杜尼斯的美男子，向他表達愛意，希望能和他在一起。但是厄杜尼斯對戀愛沒有絲毫興趣，他只鍾情於打獵。一天，維納斯突然預感到厄杜尼斯會有危險，便極力勸他，希望他能留在自己身邊，讓自己保護他。然而厄杜尼斯並不相信維納斯的話，依舊離開了維納斯。結果，厄杜尼斯在第二天早上打獵時，被箭猪咬死了。

聖誕節之謎

每年的十二月二十五日被認定為耶穌的誕生日。這一天，西方許多國家都會舉行不同的慶祝儀式。一般情況下，基督教信徒會在教會的組織下唱聖誕頌歌或表演聖誕劇，普通的人們則會在這一天相互祝福，交換禮物。然而，聖誕節究竟從何而來呢？我們先來探討一下與聖誕節有直接關係的人物——耶穌。

是否真有耶穌其人

據《聖經》記載，上帝為了讓人們能更好地了解自己、熱愛自己和更好地相互熱愛，於是決定讓聖子耶穌下凡人間。他為聖子耶穌在人間找了位母親——住在巴勒斯坦拿撒勒城的少女瑪利亞。瑪利亞感應聖靈未婚而孕，後來在耶路撒冷附近的伯利恆的一間馬棚裡生下耶穌。然而，是否真有耶穌其人，卻是人們一直爭論不休的問題，到目前還沒有定論。

有人認為歷史上真有耶穌其人，其理由如下：

一、綜觀世界宗教的發展歷史，沒有哪一個宗教是集體創立的，都是個人的創立史。所以，基督教也不會是例外。

耶穌誕生

二、《新約》的成書特點以及包含的內容，基本上是以耶穌為中心進行的。如果在編輯過程中不是刻意為之，那麼可以確定確實存在這樣一個人。

三、一些考古發現能夠證明耶穌的存在。上個世紀初以來，曾經有考古專家在中東地區組織過幾次規模比較大的考古活動，有過一些重要的發現，可以作為耶穌存在過的依據。

但是，持懷疑觀點的人們則認為耶穌只不過是基督教徒想像出來的一個「偶像」罷了。他們擺出了以下的理由：

一、與傳說中的耶穌同時代的猶太學者斐洛在耶穌的故鄉巴勒斯坦待過一段時光，可是翻遍他所有的著述，對耶穌卻隻字未提，甚至沒有提到基督教。西元一世紀，猶太歷史學家約瑟夫寫了一本《猶太人古代事跡》，其中雖有兩處提到了基督耶穌，可是經後人周密考證，認定這是二世紀至三世紀以後基督教徒抄錄此書時篡改附加上去的。其中有一處則完全是以一個虔誠的基督教徒的口吻讚美耶穌的。然而這是根本就不可能發生的事，因為在當時猶太教和基督教形同水火。

二、古羅馬帝國也沒有過任何有關耶穌的直接資料。在基督教成為古羅馬帝國的國教以後，有人對有關耶穌的資料進行搜集和整理。既然基督教已經是古羅馬帝國的國教，資料的搜集工作應該沒有任何阻礙。但奇怪的是，沒有在那個時期的文獻中找到任何有關耶穌的直接資料。比如，沒有找到法庭審判耶穌的法律檔、執行死刑的檔，等等。甚至連耶穌的出生證明都沒有找到。古羅馬帝國以講究法律聞名於世，如果真有這個人和這些事，不應該連一點文件也沒有留下來。所以，人們認為既然沒有可靠的檔證明，那麼就說明沒有這個人。

三、猶太民族自己也沒有資料流傳下來。猶太人是比較講究家族傳承的。按說即使別的地方找不到關於耶穌的資料，在猶太民族內部也應該找得到。但實際上，在猶太民族中間也沒有找到任何資料，甚至連類似於家譜那樣的證明資料也沒有。

歷史上是否真有耶穌其人這個問題尚未有一致的意見，那麼，耶穌的生日就更是一筆糊塗賬了。

羅馬教會規定的聖誕日

《聖經》的作者沒有指明耶穌降生的確切日期。因此直到西元四世紀(三五四年，一說是三三六年)，羅馬教會才規定十二月二十五日為耶穌誕生日，並且定耶穌出生的那一年為公元元年，意謂人類從這一天開始了嶄新的紀元。

然而，有學者經過研究考證後認為耶穌應生於公元前八年。

祭奠太陽神的節日

近年來，有學者認為聖誕節原本並不是紀念耶穌誕生的節日，而是古羅馬人祭奠太陽神的節日，只不過後來被基督教徒拿來借用，以表示耶穌的降生即太陽的再生，又可以通過民間傳統節日來吸引、教化更多的徒衆。

當然，以上結論仍在推測階段。究竟聖誕節起源於何時，又有什麼樣的意義，學者們仍在不斷探索求證中。

角鬥士表演興起之謎

位於義大利首都羅馬市中心的威尼斯廣場南面，有一座象徵古羅馬帝國的建築——古羅馬鬥獸場，兩千年前這裡曾經繁榮一時。古羅馬的貴族們喜歡在這樣宏偉的建築物裡面，觀看角鬥士與角鬥士、或者角鬥士與猛獸的生死搏鬥。角鬥士與猛獸搏鬥的慘烈場面自然不必多言，而角鬥士之間的戰鬥似乎也沒有輕鬆多少——當其中一方倒下時，看臺上的有地位的人或是女巫、貞女就會做手勢，如果大拇指向上，那麼失敗者還可活命；如果大拇指朝下，失敗者就要被當場殺掉。

古羅馬鬥獸場

下面這段對話出自於經典影片《角鬥士》，雖然簡短，但我們仍然可以清楚地從中感受到角鬥的血腥與殘酷。

朱巴：他們能聽見你嗎？
麥克西莫斯：誰？
朱巴：你的家人，在陰間。
麥克西莫斯：哦，是的。

於是，我們不禁要問，角鬥士的表演這麼血腥、殘酷，為什麼古羅馬人那麼喜歡觀看呢？

宗教與祭祀

古羅馬的原始宗教認為，只有用包含著生命的液體——活物的鮮血來祭奠死者，才能安撫死者的亡靈，使他們得到安寧。最初，羅馬人也是用牛羊等牲畜的鮮血來祭奠亡靈，後來他們用奴隸替代了牛羊，最後慢慢發展到要奴隸們相互廝殺後噴灑出的鮮血來安撫亡靈。這些奴隸就成為了古羅馬歷史上最早的角鬥士。歷史上第一場角鬥表演出現於公元前二六四年的羅馬城，是德西姆斯・優尼烏斯・布魯圖斯為祭奠亡父優尼烏斯・布魯圖斯而舉辦。此後一些羅馬顯貴死後，其子嗣往往沿襲布魯圖斯的做法，每五年，甚至每年都為他們的祖先舉辦類似的角鬥表演以示懷念。於是，有人認為古羅馬人舉行角鬥與追念先祖有關。

與政治活動有關

但是，有人認為角鬥表演的興起與政治活動有關。古羅馬顯貴通過舉辦角鬥表演做宣傳，來為自己贏得聲望和政治資本。其中的典型代表就是愷撒。他舉辦過的規模最大的一場角鬥表演，用了六百四十名角鬥士，還讓他們與猛獸搏鬥。

另據記載，有一個叫塞瑪修斯的貴族準備舉辦一次大規模的角鬥，但就在角鬥的前一天晚上，二十九名角鬥士相互勒死了。這件事使得他的政治地位岌岌可危。

與古羅馬人尚武鬥勇的風氣有關

還有人認為角鬥表演的興起與古羅馬人尚武鬥勇的風氣有關。古羅馬最強盛的時候，曾經憑藉能征善戰的軍隊，建立了一個橫跨非洲、歐洲、亞洲，稱霸地中海的大國。後來到了和平時期，古羅馬的統治者為了保持人民的尚武精神和戰鬥傳統，便製造了人為的戰爭——角鬥，來作為公共娛樂，以培養人民嗜血的風氣。甚至連一些皇帝也曾親自披掛上陣，尼祿和康茂德都這樣做過。不管是哪種原因，曾經興盛一時的野蠻的角鬥表演已經絕跡了。如今，只有那些遺留下來的殘破的建築物來見證當時人們的瘋狂。

龐大的古羅馬鬥獸場

古羅馬鬥獸場又名古羅馬競技場，當年這裡是羅馬帝國暴君尼祿的御花園。它的佔地面積約二萬平方公尺，最大直徑為一百八十八公尺，最小直徑為一百五十六公尺，周長五百二十七公尺，圍牆高五十七公尺。這座龐大的建築可以容納近九萬名觀眾。

國家圖書館出版品預行編目資料

探索歷史未解之謎 / 余志慧編著. -- 修訂 1 版. --
新北市：黃山國際出版社有限公司, 2024.06
面； 公分. --（百科探索；007）
ISBN 978-986-397-164-1（平裝）
1.CST：百科全書 2.CST：青少年讀物

047 112020297

百科探索 007
探索歷史未解之謎

編 著 余志慧
出 版 黃山國際出版社有限公司
220 新北市板橋區縣民大道 3 段 93 巷 30 弄 25 號 1 樓
電話：02-32343788 傳真：02-22234544
E-mail：pftwsdom@ms7.hinet.net
印 刷 百通科技股份有限公司
電話：02-86926066 傳真：02-86926016
總 經 銷 貿騰發賣股份有限公司
新北市 235 中和區立德街 136 號 6 樓
電話：02-82275988 傳真：02-82275989
網址：www.namode.com
版 次 2024 年 6 月修訂 1 版
特 價 新台幣 320 元（缺頁或破損的書，請寄回更換）

ISBN： 978-986-397-164-1